中華國學經典百部

精華本

忍经
劝忍百箴

〔元〕吴亮 〔元〕许名奎 撰

游一行 译注

中国书店

图书在版编目（CIP）数据

忍经·劝忍百箴 /（元）吴亮，（元）许名奎撰；游一行译注 . —北京：中国书店，2023.10

（中华国学经典百部：精华本）

ISBN 978-7-5149-2963-8

Ⅰ . ①忍… Ⅱ . ①吴… ②许… ③游… Ⅲ . ①伦理学—中国—元代 Ⅳ . ① B82-092

中国版本图书馆 CIP 数据核字（2022）第 075985 号

忍经 劝忍百箴

〔元〕吴亮 〔元〕许名奎 撰 游一行 译注

责任编辑：李宏书

出版发行：中国书店

地　　址：北京市西城区琉璃厂东街 115 号

邮　　编：100050

电　　话：（010）63171753（总编室）

（010）63017857（发行部）

印　　刷：三河市嘉科万达彩色印刷有限公司

开　　本：787mm × 1092mm　1/32

版　　次：2023 年 10 月第 1 版第 1 次印刷

字　　数：163 千

印　　张：6（全 300）

书　　号：ISBN 978-7-5149-2963-8

定　　价：1490.00 元（全 50 册）

前言

古人常说，“忍一时风平浪静，退一步海阔天空”“能忍人之所不能忍，乃能为人之所不能为”，佛家也讲“六度万行，忍为第一”。可见，“忍”是成大事者必备素质之一，也是成大事必须遵从的原则。

如果我们处事时学会忍让，便能风平浪静，获得他人的理解与支持，处理好事情，解决好问题，从而消除误会，排解困难，渡过难关。如果不能忍，那么，你就可能失去一段友谊，一份真情，一个工作，一场谈判的胜利机会，甚至是人生最终的成功。

无论面对生活还是工作，无论面对亲情、友情还是爱情，无论是与家人、邻居还是萍水相逢的陌生人相处，将“忍”字放在首位，忍常人所不能忍，少去计较那些冒犯自己的话语和行为，人生便会有更多开怀的机会，人与人之间的距离也会大大缩短，收获的快乐也会越来越多。

忍得了一时的委屈与屈辱，忍得了一时的愤怒或者轻视，就能够迎来苦尽甘来的转机，收获属于自己的那份喜悦。

本书收录了古人关于“忍”的诸多至理名言和生动故事，真实地向我们道出了“忍”的重要性。忍不是挂在嘴边的，也不是写在纸上的，它存在于我们的内心和潜意识之中，是每时每刻都不该忘记的箴言。

《忍经》和《劝忍百箴》是古人关于“忍”的智慧总结，问世之后，虽然流传并不广泛，但是其所倡导的道理值得后世传扬、学习。本书历经沧桑，幸得留存，实为今人之福。我们几经查阅核实，对《忍经》和《劝忍百箴》两本书的原著做出了解读，力求通俗易懂，便于理解和记忆。同时将二者合编，方便读者阅读学习。由于时间仓促，学识有限，难免会有不足之处，欢迎读者朋友指正。

目 录

忍 经 / 001

原序 / 002
忍经 / 004
细过掩匿 / 008
醉饱之过不过吐呕 / 009
圯上取履 / 009
出胯下 / 010
尿寒灰 / 010
诬金 / 011
诬袴 / 012
羹污朝衣 / 012
认牛 / 013
认马 / 013
鸡肋不足以当尊拳 / 014
唾面自干 / 014
五世同居 / 015
九世同居 / 016
置怨结欢 / 016
鞍坏不加罪 / 017
万事之中，忍字为上 / 017
盘碎，色不少吝 / 018
不忍按 / 019
逊以自免 / 019
盛德所容 / 020
含垢匿瑕 / 020
未尝见喜怒 / 021
语侵不恨 / 021
释盗遗布 / 022
愍寒架桥 / 023
射牛无怪 / 023
代钱不言 / 024
认豕不争 / 024
鼓琴不问 / 025
唯得忠恕 / 025
益见忠直 / 026
酒流满路 / 027
不形于言 / 027
未尝峻折 / 028
非毁反己 / 029
辞和气平 / 030
委曲弥缝 / 030

诋短逊谢 / 031
直为受之 / 032
服公有量 / 032
宽大有量 / 033
呵辱自隐 / 034
容物不校 / 035
德量过人 / 035
众服公量 / 036
还居不追直 / 037
持烛燃须 / 038
物成毁有时数 / 038
骂如不闻 / 039
佯为不闻 / 040
骂殊自若 / 040
为同列斥 / 041
不发人过 / 041
器量过人 / 043
动心忍性 / 044
受之未尝行色 / 045
与物无竞 / 045
忤逆不怒 / 046
潜卷授之 / 046
俾之自新 / 047
未尝按黜一吏 / 048
小过不怿 / 049
拔藩益地 / 049
兄弟讼田，至于失欢 / 050
将忿忍过片时，心便清凉 / 050
忿争损身，忿讼损财 / 052
十一世未尝讼人于官 / 053
无疾言遽色 / 053
子孙数世同居 / 054
愿得金带 / 055
恕可成德 / 056
公诚有德 / 056
所持一心 / 057
人服雅量 / 058
终不自明 / 058
户曹长者 / 059
逾年后杖 / 061
终不自辩 / 061
自择所安 / 062
称为善士 / 063
得金不认 / 064
一言齑粉 / 065
无入不自得 / 066
不若无愧而死 / 066
未尝含怒 / 068
谢罪敦睦 / 069
处家贵宽容 / 079
忧患当明理顺受 / 080
同居相处贵宽 / 080
亲戚不可失欢 / 081
待婢仆当宽恕 / 081
事贵能忍耐 / 082
王龙舒劝诫 / 083

劝忍百箴 / 093

序一 / 094

卷一 / 096

言之忍第一 / 096

气之忍第二 / 097

色之忍第三 / 097

酒之忍第四 / 098

声之忍第五 / 099

食之忍第六 / 100

乐之忍第七 / 101

权之忍第八 / 101

势之忍第九 / 102

贫之忍第十 / 103

富之忍第十一 / 103

贱之忍第十二 / 104

贵之忍第十三 / 105

宠之忍第十四 / 106

辱之忍第十五 / 107

安之忍第十六 / 108

危之忍第十七 / 109

忠之忍第十八 / 110

孝之忍第十九 / 110

仁之忍第二十 / 112

义之忍第二十一 / 113

礼之忍第二十二 / 113

智之忍第二十三 / 114

信之忍第二十四 / 115

喜之忍第二十五 / 116

卷二 / 117

怒之忍第二十六 / 117

疾之忍第二十七 / 118

变之忍第二十八 / 119

侮之忍第二十九 / 119

谤之忍第三十 / 120

誉之忍第三十一 / 121

谄之忍第三十二 / 122

笑之忍第三十三 / 123

妒之忍第三十四 / 123

忽之忍第三十五 / 124

忤之忍第三十六 / 125

仇之忍第三十七 / 126

争之忍第三十八 / 127

欺之忍第三十九 / 127

淫之忍第四十 / 128

惧之忍第四十一 / 129

好之忍第四十二 / 130

恶之忍第四十三 / 130

劳之忍第四十四 / 131

苦之忍第四十五 / 132

俭之忍第四十六 / 133

贪之忍第四十七 / 134
躁之忍第四十八 / 135
虐之忍第四十九 / 136
骄之忍第五十 / 137

卷三 / 138
矜之忍第五十一 / 138
侈之忍第五十二 / 139
勇之忍第五十三 / 140
直之忍第五十四 / 141
急之忍第五十五 / 141
死之忍第五十六 / 142
生之忍第五十七 / 143
满之忍第五十八 / 144
快之忍第五十九 / 145
取之忍第六十 / 146
与之忍第六十一 / 147
乞之忍第六十二 / 147
求之忍第六十三 / 148
失之忍第六十四 / 149
利害之忍第六十五 / 150
顽嚚之忍第六十六 / 151
不平之忍第六十七 / 152
不满之忍第六十八 / 153
听谗之忍第六十九 / 154
无益之忍第七十 / 155
苛察之忍第七十一 / 155
屠杀之忍第七十二 / 156
祸福之忍第七十三 / 157
苟禄之忍第七十四 / 158
躁进之忍第七十五 / 159

卷四 / 161
特立之忍第七十六 / 161
勇退之忍第七十七 / 162
挫折之忍第七十八 / 163
不遇之忍第七十九 / 163
才技之第八十 / 164
小节之忍第八十一 / 165
随时之忍第八十二 / 166
背义之忍第八十三 / 167
事君之忍第八十四 / 168
事师之忍第八十五 / 169
同寅之忍第八十六 / 170
为士之忍第八十七 / 170
为农之忍第八十八 / 171
为工之忍第八十九 / 172
为商之忍第九十 / 172
父子之忍第九十一 / 173
兄弟之忍第九十二 / 174
夫妇之忍第九十三 / 175
宾主之忍第九十四 / 176
奴婢之忍第九十五 / 177
交友之忍第九十六 / 177
年少之忍第九十七 / 178
将帅之忍第九十八 / 179
宰相之忍第九十九 / 180
好学之忍第一百 / 181

忍经

原序

【原文】

忍乃胸中博闳[①]之器局[②]，为仁者事也，惟宽、恕二字能行之。颜子云“犯而不校[③]”，《书》云“有容德乃大”，皆忍之谓也。韩信忍于胯下，卒[④]受登坛之拜[⑤]；张良忍于取履[⑥]，终有封侯之荣。忍之为义[⑦]，大矣。惟其能忍，则有涵养定力，触来无竞[⑧]，事过而化，一以宽恕行之。当官以暴怒为戒，居家以谦和自持[⑨]。暴慢[⑩]不萌[⑪]其心，是非不形于人。好善忘势[⑫]，方便存心[⑬]，行之纯熟，可日践于无过之地，去[⑭]圣贤又何远哉！苟或不然，任喜怒，分爱憎，捃拾[⑮]人非，动峻辞色。干以非意[⑯]者，未必能以理遣[⑰]；遇于仓卒[⑱]者，未必不入气胜。不失之褊浅[⑲]，则失之躁急，自处不暇，何暇治事？将恐众怨丛身，咎莫大焉！其视吕蒙正之不问姓名，张公艺九世同居，宁不愧耶？愚因暇类集经史语句，名曰《忍经》。凡我同志[⑳]一寓目间，有能由宽、恕而充此忍，由忍而至于仁，岂小补哉！

大德十年丙午闰月朔古杭蟾心吴亮序。

【注释】

①博闳（hóng）：广博宏大。

②器局：气度。

③犯而不校（jiào）：被人冒犯了却不计较。

④卒：最终。

⑤登坛之拜：指汉高祖刘邦修筑将坛，隆重地拜韩信为大将军。

⑥取履：替老者捡起掉到桥下的鞋子。

⑦忍之为义：忍中包含的道理。

⑧触来无竞：受到触犯但不与之争论。

⑨自持：自我克制。

⑩暴慢：暴怒怠慢。

⑪萌：产生。

⑫忘势：忘记身份和权势。

⑬方便存心：心里随时想着与人便利。

⑭去：距离。

⑮捃（jùn）拾：收集。

⑯干以非意：遭受他人意外的冒犯。

⑰遣：解决，处理。

⑱遇于仓卒：在仓促之间发生的事情。卒，通“促”。

⑲褊（biǎn）浅：心地、见识等狭隘短浅。

⑳同志：志同道合的人。

【译文】

忍是一个人有博大宽宏度量的表现，是只有仁者才能做到的。只有宽容、恕谅这两个词，才能够真正地践行这个字。颜子说：“别人冒犯而不去计较（就是忍）。”《尚书》上记载：“能够包容的人才有高尚的品德。”这些均为忍的意思。韩信忍受胯下耻辱，最后受到了汉高祖刘邦的登坛礼拜；张良克制怒火，帮黄石老翁捡回草鞋，后来享受了封侯的荣耀。忍的这种道义最是宽宏博大。唯有可以忍的人，才具有深厚的涵养和坚固的定力，才能对别人的冒犯不予理睬，事情结束之后就让它消失，用宽容恕谅的心态对待所有那些冒犯自己的人和事。为官应该戒掉暴怒，持家就应该做到谦虚和气。暴怒轻慢不能生于心中，是非对错无须表现于脸上。乐于行善而忘掉自己的权势，心中时刻想着为别人提供便利，将这些做得熟练以后，便能够天天处在没有过错的境界当中，这样的人距离圣贤也就不远了！如果没有做到这些，而是随意放纵自己喜怒哀乐的情绪，任意表现自己的爱憎分明，特意去收集别人的过错，这样的人容易动怒以示人脸色。如果有未曾预料到的因素来干扰，不一定能够做到依据道理去处理；对于突然发生的事情，不一定能够做到不感情用事。如果这样的话，不是由于狭隘浅薄出现偏差，就是因为急躁慌乱而出现失误，这样处事，调理好自己的麻烦事情都没有时间，哪里还有工夫去处理别的事务呢？恐怕将来各种怨气要像草丛一样积聚在身，等到了那个时候，就太危险了。看吕蒙正善于与同事相处，不问冒犯者的姓名；张公艺善于治家和亲，九代人居住在同一屋檐下，相比之下，能不觉得惭愧吗？我在空闲的时候收集了经书以及史书上的语句，将它称为《忍经》。我的朋友们在看过此书之后，如果有人能够由宽恕发展到这种忍，由忍再发展到仁，那么此书发挥的作用还算小吗？

元大德十年（1306）丙午闰月朔古杭蟾心吴亮序。

忍经

【原文】

《易·损》卦云："君子以惩忿窒欲[①]。"

【注释】

①惩忿窒欲：克制愤怒，杜塞情欲。

【译文】

《易·损》卦说："君子应控制愤怒，克制情欲。"

【原文】

《书》周公戒周王曰："小人怨汝詈[①]汝，则皇自敬德。"又曰："不啻[②]不敢含怒。"又曰："宽绰厥心。"

成王告君陈曰："必有忍，其乃有济[③]；有容，德乃大。"

【注释】

①詈（lì）：责骂。

②不啻（chì）：不仅，非但。

③济：成事。

【译文】

《尚书》中周公告诫周成王说："小人怨恨你，辱骂你，而你自己应该感到惶恐，并加强修养，不要与他们计较。"又说："并非只是不敢发怒。"又说："而是放宽自己的心胸。"

周成王告诫君陈说："必须有忍性，才能够成事；要有度量，道德才会高尚。"

【原文】

《左传》宣公十五年：谚曰："高下在心。"川泽纳污，山薮①藏疾，瑾瑜②匿瑕，国君含垢③，天之道也。

昭公元年："鲁以相忍为国④也。"

哀公二十七年：知伯入南里，门，谓赵孟："入之。"对曰："主在此。"知伯曰："恶而无勇，何以为子？"对曰："以能忍耻，庶无害赵宗乎？"

楚庄王伐郑，郑伯肉袒牵羊以迎。庄王曰："其君能下人，必能信用其民矣。"

《左传》："一惭不忍⑤，而终身惭乎？"

【注释】

①薮（sǒu）：草木茂盛的湖泽。

②瑾瑜：美玉。

③含垢：忍受屈辱。

④为国：立国。

⑤一惭不忍：不能忍受一次屈辱。

【译文】

《左传·宣公十五年》载：谚语讲："处事时的屈伸，由自己的心来决定。"河流与沼泽容纳着污泥，山林和草丛中隐匿着祸患，美玉当中藏着瑕疵，君王要忍受一些耻辱，这属于自然规律。

《左传·昭公元年》:“鲁国用相互忍让的思想来治理国家。”

《左传·哀公二十七年》载:知伯进了南里,要攻打郑国城门,叫赵孟“攻进去”。赵孟对他说:“君王在这里。”知伯说:“你相貌丑陋又没有勇气,怎么能渴求被立为宗子呢?”赵孟回答说:“我凭着忍性,希望这样不会对我们赵氏有什么危害。”

楚庄王攻打郑国,郑国君王袒露着肩膀牵着羊来迎接楚国的军队。楚庄王说:“郑国的君王能够忍受他人的侮辱,也一定可以为郑国的老百姓所信奉。”

《左传》:“不能忍受一次羞辱,而要让自己惭愧一辈子吗?”

【原文】

《论语》孔子曰:“小不忍①,则乱大谋②。”

又曰:“一朝之忿,忘其身以及其亲,非惑欤?”

又曰:“君子无所争。”

又曰:“君子矜③而不争。”

颜子犯而不校。

戒子路曰:“齿刚则折,舌柔则存。柔必胜刚,弱必胜强。好斗必伤,好勇必亡。百行之本,忍之为上。”

【注释】

①小不忍:不能忍受小事情。

②乱大谋:败坏大事情。

③矜:庄重。

【译文】

《论语》中孔子说:“小的事情不能忍让,就会破坏大事情。”

孔子又说:“一时的气愤,忘记了自己还有自己、亲人的安全,这不是糊涂吗?”

孔子又说:“君子处事应谨慎,不与人相争。”

颜回就算是被人欺侮,也从不计较。

孔子告诫子路说:“牙齿太刚硬就容易折断,舌头柔软才可以完好保存。柔一定可以胜过刚,弱小最终能够战胜强大。

好斗一定会受到伤害，好勇一定会导致灭亡。百行的根本，以忍让为先。”

【原文】

《老子》曰：“知其雄①，守其雌②；知其白，守其黑。”

又曰：“大直③若屈，大巧若拙，大辩若讷。”

又曰：“上善若水，水善利万物而不争。”

又曰：“天道不争而善胜④，不言而善应。”

【注释】

①雄：刚劲，强大。

②雌：柔静，谦下。

③大直：最正直。

④善胜：善于获胜。

【译文】

《老子》说：“清楚什么是雄强，却能持守雌柔的地位；了解明亮，却安于暗昧的地位。”

《老子》又说：“最直的东西，看起来却仿佛是弯的；最聪明的人，看上去却很笨拙；最善于辩论的人看起来却似乎很木讷。”

《老子》又说：“至高的品德就如同水一般，可以有利于万物而不争斗。”

《老子》又说：“符合自然规律的事物，虽然不与其他的事物相争，却可以取胜；虽然不说话，却善于回应。”

【原文】

荀子曰：“伤人之言，深于矛戟。”

【译文】

荀子说：“伤人的话，比用矛戟刺入人的身体还要严重。”

【原文】

蔺相如曰：“两虎共斗，势不俱生。”

【译文】

蔺相如说：“两只老虎争斗，肯定无法全都保全性命。”

【原文】

晋卫玠尝云:“人有不及,可以情恕。”

【译文】

晋代的卫玠曾经说过:“每个人都有力所不及的地方,这在情理上是可以被原谅的。”

【原文】

又曰:“非意相干①,可以理遣②。”终身无喜愠之色。

【注释】

①非意相干:意料之外的冒犯。

②遣:对待,处理。

【译文】

卫玠又说:“对于意料之外的冒犯,可以用理去处理。”他一生都喜怒不形于色。

细过掩匿

【原文】

曹参为国相,舍后园近吏舍。日夜饮呼,吏患之,引参游园,幸①国相召按之。乃反独帐坐饮,亦歌呼相应。见人细过②,则掩匿盖覆。

【注释】

①幸:希望。

②细过:小的过错。

【译文】

(西汉的)曹参担任宰相时,他家后园与小吏住的宿舍距离不远。这些小吏日夜喝酒呼喊,有官吏担心曹参会恼怒,就引着曹参去后园游览,希望国相昭见他们并予以惩戒。然而曹参召见了那些小吏。回来后,也独自坐于帐中,一边饮酒一边唱歌、呼喊,同那些小吏们的呼声相应。曹参遇到他人有小的过错，就为他们掩饰。

醉饱之过不过吐呕

【原文】

丙吉为相，驭吏[1]频醉酒，西曹诘罪之。吉曰：“以醉饱之过斥人，欲令安归乎？不过吐呕丞相车茵[2]，西曹第[3]忍之。”

【注释】

①驭吏：赶车的人。

②车茵：车里的坐垫。

③第：姑且。

【译文】

（西汉的）丙吉担任宰相时，他的车夫经常醉酒，西曹想要处罚他，丙吉却说：“只是因为喝醉了酒就去斥责他人，让人怎么待得下去呢？喝醉了酒，也不过就是呕吐物弄脏了丞相车子里的垫毯而已，西曹姑且忍住不要去责怪他了。”

圯上取履

【原文】

张良亡匿，尝从容游下邳[1]。圯上有一老父，衣褐。至良所，直坠其履圯[2]下。顾谓良曰：“孺子[3]，下取履。”良愕然，强忍，下取履，因跪进。父以足受之，曰：“孺子可教矣。”

【注释】

①下邳（pī）：今江苏睢宁古邳镇。

②圯（yí）：桥。

③孺子：年轻人。

【译文】

张良由于犯法逃亡，曾悠闲地在下邳游览。桥上有一位老人，穿着粗布衣服。他走到张良面前，故意把自己的鞋子扔到桥下去。对着张良说："小伙子，下去把鞋捡回来。"张良觉得十分惊愕，强忍着怒气，走到桥下，将鞋捡上来，跪着送到老人面前。老人将脚伸出来穿上鞋，说道："你可以被教育成才啊！"

出胯下

【原文】

韩信好带长剑，市中有一少年辱之，曰："君带长剑，能杀人乎？若能杀人，可杀我也；若不能杀我，从我胯下过。"韩信遂屈身，从胯下过。汉高祖任为大将军，信召市中少年，语之曰："汝昔年①欺我，今日可欺我乎？"少年乞命，信免其罪，与其一校官②也。

【注释】

①昔年：当年。

②校官：校尉。

【译文】

韩信喜欢随身佩带长剑，在集市中，一位少年侮辱他，说："你身佩长剑，但是你敢杀人吗？如果你敢杀人，那就将我杀了；如果你不能杀我，那么，就从我的两腿之间钻过去。"韩信于是屈身从那位少年的两腿之间钻过去了。后来，汉高祖刘邦任命韩信为大将军，韩信将曾经侮辱过自己的那位少年召到跟前，对他说："你过去曾经欺辱我，现在还可以欺辱我吗？"那位少年向韩信乞求饶命，韩信赦免了他的罪过，并封他做校尉。

尿寒灰

【原文】

韩安国为梁内史，坐法①在狱中，被狱吏田甲辱之。安国曰："寒灰[2]亦有燃否？"田甲曰："寒灰倘燃，我即尿其上。"于后，安国得释，放任梁州刺史，狱吏田甲惊走。安国曰："若走，九族诛之；若不走，赦其罪。"田甲遂见安国，安国曰："寒灰今日燃，汝何不尿其上？"田甲惶惧，安国赦其罪，又与田甲亭尉之官。

【注释】

①坐法：触犯法律。

②寒灰：冷灰。

【译文】

韩安国担任梁国内史时，由于犯法被关到监狱中。狱吏田甲侮辱他。韩安国问田甲："冷却的灰能够重新燃烧起来吗？"田甲说："如果冷灰能够重新燃烧起来，我就用小便将之浇熄。"后来，韩安国被释放出狱，又被任命为梁州刺史。田甲吓得逃跑了。韩安国说："田甲如果逃走，就将他的九族都杀了；如果不逃走，就能原谅他的罪过。"田甲于是来见韩安国。韩安国问田甲："冷灰今天重新燃烧了，你何不用尿将之浇熄呢？"田甲非常害怕，韩安国却原谅了他的罪过，并授予他一个亭尉的官职。

诬金

【原文】

直不疑为郎，同舍[1]有告归，误持同舍郎金去，金主意不疑。不疑谢[2]有之，买金偿之。后告归者至，而归亡金，郎大惭。以此称为长者[3]。

【注释】

①同舍：住在同一个屋里。

②谢：认错，道歉。

③长者：仁慈忠厚的人。

【译文】

（西汉的）直不疑担任郎官的时候，同屋居住的一个人回家时，误把同舍的金子带走了。失主怀疑是直不疑偷走了他的金子，直不疑直接认错道歉，并买了金子，还给了他。等到回家的人返回来后，把同舍丢失的金子如数归还，失主非常惭愧。于是大家都称赞直不疑是忠厚的人。

诬袴[1]

【原文】

陈重同舍郎有告归宁者，误持邻舍郎袴去。主疑重所取，重不自申说，市袴以偿。

【注释】

①袴（kù）：同“裤”，裤子。

【译文】

（东汉的）陈重同宿舍有人回家省亲的时候，误拿了相邻宿舍的人的一条裤子。主人怀疑是陈重拿的，陈重没有申辩，买了一条裤子还他。

羹污朝衣

【原文】

刘宽仁恕，虽仓卒未尝疾言剧色。夫人欲试之，趁朝装毕，使婢捧肉羹翻污朝衣。宽神色不变，徐[1]谓婢曰：“羹烂汝手耶？”

【注释】

①徐：从容的样子。

【译文】

（东汉的）刘宽仁慈宽厚，就算是仓促之下，也不曾疾言厉色。刘宽的妻子想试试他，趁着他刚穿好朝服的时候，派婢子送来一碗肉汤，故意泼洒在刘宽身上。刘宽神色不变，从容地问婢子说："汤有没有烫坏了你的手？"

认牛

【原文】

刘宽为司徒，人有走牛，就宽车中认之。宽不争辩，默解与之，步行而归。后数日，主得牛，乃惭送谢，宽曰："物有相类，事容错误，幸劳见归，何谢之有？"

【译文】

刘宽担任司徒时，有个人的牛走丢了，拦住刘宽的车，说拉车的牛是自己家的。刘宽不与他争辩，默默地解下了牛交给那个人，自己步行回家。过了几天，牛的主人找到了自己丢失的牛，于是非常惭愧地将刘宽的牛送了回来，并道歉。刘宽说："动物有外形相似的，这样的事经常出现错误，你给我送回了牛已经很麻烦你了，还有什么好道歉的呢？"

认马

【原文】

卓茂，性宽仁恭爱。乡里故旧，虽行能与茂不同，而皆爱慕欣欣焉。尝出①，有人认其马。茂心知其谬，嘿②解与之。他日，马主别得亡者，乃送马，谢之。茂性不好争如此。

【注释】

①尝出：曾经外出。

②嘿（mò）：同"默"。

【译文】

（东汉的）卓茂，性情宽厚，待人仁爱，乡里故旧，即便行业与卓茂不同，也都爱慕而愿意亲近他。一次卓茂出门，有人说卓茂骑的马是他的。卓茂明知道这个人弄错了，但还是默默地将马给了他。过了几日后，马的主人找到了他丢失的马，于是便把马还给卓茂，并道歉。卓茂就是如此不喜欢与人争辩。

鸡肋不足以当尊拳

【原文】

刘伶尝醉，与俗人①相忤。其人攘袂②奋拳③而往，伶曰："鸡肋不足以当尊拳④。"其人笑而止。

【注释】

①俗人：普通百姓。

②攘袂：挽起袖子。

③奋拳：挥舞着拳头。

④尊拳：你的拳头。

【译文】

（魏晋时的）刘伶曾经喝醉了酒，同一个老百姓起了冲突。那人挽起衣袖，挥拳冲了过来。刘伶说："我这如同鸡肋一样的身子抵挡不住你的拳头。"于是那人大笑，收起了拳头。

唾面自干

【原文】

娄师德深沉有度量，其弟除①代州刺史，将行，师德曰："吾备位宰相，汝复为州牧。荣宠过盛，人所嫉也，将何术②以自免？"弟长跪③曰："自今虽有人唾某面，某拭之而已。庶不为兄忧。"师德愀然④曰："此所以为吾忧也。人唾汝面，怒汝也。汝拭之，乃逆其意，所以重其怒。夫唾不拭自干，当笑而受之。"

【注释】

①除：任命官职。

②何术：什么方法。

③长跪：伸直腰股而跪。

④愀（qiǎo）然：神色肃穆或者不愉快。

【译文】

（唐朝的）娄师德性格稳重，非常有度量。他的弟弟出任代州刺史时，即将上任，娄师德对他说："我位至宰相，你又上任州官，受皇帝的宠幸太多了。这正是让他人所忌妒的，你准备如何避免那些忌妒呢？"他的弟弟跪在地上说："从今以后，就算是有人朝着我的脸上吐唾沫，我自己擦干净就好了，决不让你担忧。"娄师德面色严峻地说："这正是我所担忧的。别人向你吐唾沫，是恨你，如果你把唾沫擦去，恰恰是违反了吐唾沫之人的初衷，只会加重他对你的恨意。你应该不擦唾沫，让它自己干，笑着去接受它。"

五世同居

【原文】

张全翁言，潞州有一农夫，五世同居。太宗讨并州，过其舍，召其长，讯之曰："若①何道而至此？"对曰："臣无他，唯能忍耳。"太宗以为然②。

【注释】

①若：你。

②以为然：认为很有道理。

【译文】

（北宋的）张全翁说，潞州有一位农民，他家里五世同堂。宋太宗讨伐并州时，路过这家，召见家里的长辈，问道："你怎么让五代人和睦地住在一起的呢？"长辈回答说："没有其他的方法，只是互相忍让而已。”太宗认为非常有道理。

九世同居

【原文】

张公艺九世同居，唐高宗临幸其家。问本末[1]，书“忍”字以对。天子流涕，遂赐缣帛[2]。

【注释】

①本末：原委。

②缣（jiān）帛：一种光洁细薄的丝绢。

【译文】

张公艺一家九世同堂，唐高宗亲自临幸他家。问他如何可以九世同堂，他写了一个“忍”字回答唐高宗。高宗感动得流下了眼泪，于是赏了他很多绸缎。

置怨结欢

【原文】

李泌、窦参器李吉甫之才，厚遇之[1]。陆贽疑有党，出为明州刺史。贽之贬忠州，宰相欲害之，起吉甫为忠州刺史，使甘心焉。既至，置怨[2]，与结欢。人器重其量。

【注释】

①厚遇之：厚待他。

②置怨：抛弃仇怨。

【译文】

（唐代的）李泌、窦参非常器重李吉甫的才能，于是很厚待他。陆贽怀疑他们结党拉派，于是把李吉甫放出京外任明州刺史。后来陆贽被贬到忠州，宰相想害死他，将李吉甫任命为忠州刺史，以便他可以报复陆贽，让他称心如意。李吉甫一到忠州，就将往日的怨恨抛弃了，同陆贽结成了好朋友。人们都称李吉甫有度量。

鞍坏不加罪

【原文】

裴行俭尝赐马及珍鞍，令吏私驰马，马蹶[1]鞍坏，惧而逃。行俭招还，云："不加罪。"

【注释】

①蹶：跌倒。

【译文】

（唐代的）裴行俭曾经得到皇帝赏赐的马以及珍贵的马鞍，他手下的一个小官吏偷偷地骑他的马，马跌倒，毁坏了马鞍，小官吏吓得逃跑了。裴行俭派人将他找回来，并说："不会加以惩罚。"

万事之中，忍字为上

【原文】

唐光禄卿王守和，未尝与人有争。尝于案几间大书"忍"字，至于帏幌[1]之属，以绣画为之。明皇知其姓字非时[2]，引对[3]问曰："卿名守和，已知不争。好书忍字，尤见用心。"奏曰："臣闻坚而必断，刚则必折，万事之中，'忍'字为上。"帝曰："善。"赐帛以旌[4]之。

【注释】

①帏幌：帷幔等悬挂物。

②非时：对时政不满。

③引对：指被皇帝召见询问。

④旌：表彰。

【译文】

唐代光禄卿王守和，从来不同人发生争执，曾在书桌上写了一个很大的“忍”字，帏帐里面也绣了“忍”字。唐明皇认为王守和的姓氏和名字看起来像是诽谤当时的政治，于是召见他并问道：“你的名字叫守和，已经知道你不喜欢争斗；现在又喜欢写‘忍’字，更看出了你的用心所在。”王守和回答说：“我听说坚硬的东西容易被折断，过于刚强必然会被摧折，万事之中，以忍为先。”唐明皇称赞道：“好。”并赏赐他锦帛以示表彰。

盘碎，色不少吝

【原文】

裴行俭初平都支、遮匐，获瑰宝不赀[①]。番酋将士愿观焉。行俭因宴，遍出示坐者。有玛瑙盘二尺，文彩粲然[②]。军吏趋跌，盘碎，惶惧，叩头流血。行俭笑曰：“尔非故也。”色不少吝[③]。

【注释】

①不赀（zī）：不计其数。

②粲然：明亮鲜艳的样子。

③吝：惋惜。

【译文】

裴行俭从前平定阿史那都支、李遮匐之叛的时候，缴获敌人的宝物不计其数。少数民族的将领和士兵都前去观赏。裴行俭在宴会上把这些宝物都展示出来。其中有一件玛瑙盘，二尺长，色彩斑斓，非常漂亮。士兵捧着它不小心摔倒，玛瑙盘摔碎了。这名士兵非常害怕，跪在地上连续磕头，头都磕破流血了。裴行俭笑着说：“你并非故意的呀！”脸上并没出现吝惜的神情。

不忍按

【原文】

许圉师为相州刺史，以宽治部。有受赇者，圉师不忍按[①]，其人自愧，后修饬，更为廉士。

【注释】

①按：查办。

【译文】

（唐代的）许圉师出任相州刺史，对待部下宽厚仁慈。有一名官吏受了贿，许圉师不忍心对他进行追究，这个人自己觉得十分惭愧，后来修身养性，成了一名廉洁的官吏。

逊以自免

【原文】

唐娄师德，深沉有度量，人有忤[①]己，逊以自免，不见容色。尝与李昭德偕行，师德素丰硕，不能剧步[②]，昭德迟之，恚[③]曰："为田舍子[④]所留。"师德笑曰："吾不田舍，复在何人？"

【注释】

①忤（wǔ）：冒犯。

②剧步：快步行走。

③恚（huì）：愤怒。

④田舍子：乡下人。

【译文】

唐朝娄师德，性情稳重，非常有度量。别人冒犯了他时，他却自己进行检讨，从不表现出愤怒之意。他曾经和李昭德一同外出，娄师德一向身体肥胖，因此无法快步走路，李昭德觉得他太慢了，出声埋怨道："被种田的粗汉子耽误了。"师德笑着回答："我不当种田的人，那谁去当呢？"

盛德所容

【原文】

狄仁杰未辅政，娄师德荐之。后曰："朕用卿，师德荐也，诚知人矣。"出其奏。仁杰惭，已而叹曰："娄公盛德，我为所容，乃知吾不逮①远矣。"

【注释】

①不逮：比不上。

【译文】

狄仁杰还没有当宰相时，娄师德向武则天推荐了他。武则天对狄仁杰说："我之所以用你，是因为娄师德举荐了你，娄师德确实是知人善用啊！"同时把娄师德的推荐奏折拿给狄仁杰看。狄仁杰非常惭愧，感叹地说："娄公道德高尚，我（虽然说了很多批评他的话，却）被他所包容，我明白自己远远不及他。"

含垢匿瑕

【原文】

晋陈骞，沉厚有智谋，少有度量，含垢匿瑕①，所在存绩②。

【注释】

①含垢匿瑕：容忍他人的侮辱，遮掩他人的缺点。

②存绩：做出成就。

【译文】

晋代的陈骞，性情稳重宽厚，足智多谋。少年时就非常有度量，可以忍受委屈、宽恕别人，做任何事都非常有成就。

未尝见喜怒

【原文】

唐贾耽，自朝归第[①]，接对[②]宾客，终日无倦。家人近习[③]，未尝见其喜怒之色，古之淳德君子，何以加[④]焉？

【注释】

①归第：回到府中。

②接对：接待应对。

③近习：亲近熟识的人。

④加：超过。

【译文】

唐朝的贾耽下朝回家后仍不停地接待宾客，终日没有倦色。家中的人更了解他的生活情况，从来没见过他有欢喜和愤怒的神情。古代道德淳厚的人，也就是这样了吧！

语侵不恨

【原文】

杜衍曰："今之在位者，多是责人小节[①]，是诚不恕[②]也。"衍历知州提转[③]安抚，未尝坏[④]一官员。其不职者，委之以事，使不暇惰；不谨者，谕以祸福，不必绳以法也。范仲淹尝与衍论事异同，至以语侵杜衍，衍不为恨。

【注释】

①小节：小过失。

②不恕：不宽容。

③提转：升迁转任。

④坏：贬斥。

【译文】

（北宋的）杜衍说："如今当权的人，大部分人都喜欢指责别人的小过错，这确实是没有宽恕之心。"杜衍从做知州到担任安抚使，从未曾贬斥过一位官员。对那些不称职的官员，就让他们多做一些实事，不让他们闲下来养成懒惰的习惯；对那些行为不谨慎的官员，用不谨慎会导致灾难的道理教育他们，不一定非要用法律去惩罚他们。范仲淹曾经同他讨论事情时意见相左，以至于用言语伤害他，他也不记恨。

释盗遗布

【原文】

陈寔，字仲弓，为太丘长。有人伏梁上，寔见，呼其子训之曰："夫不善之人，未必本恶，习以性成①，梁上君子是矣。"俄闻自投地②，伏罪。寔曰："观君形状非恶人，应由贫困。"乃遗③布二端，令改过之，后更无盗。

【注释】

①习以性成：长时间习惯什么样的环境，就会养成什么样的习惯。

②投地：跳到地上。

③遗（wèi）：赠给。

【译文】

（东汉的）陈寔，字仲弓，是太丘县令。一天，有一个小偷伏在屋梁上准备行窃，陈寔看到后，将自己的儿子喊过来，教训道："不良善的人，并不一定生来就是这样的，而是习惯所养成的，屋梁上那一位就是这样的人。"过了一会儿，小偷自己跳了下来，主动跪在地上认罪。陈寔说："从你的外貌来看，你并非生来就是恶人，应该是因为贫困造成的。"于是，赠给他两匹布，教育他一定要改正。此后，这人再没有当过小偷。

愍寒架桥

【原文】

淮南孔旻，隐居笃行①，终身不仕，美节②甚高。尝有窃其园中竹，旻愍③其涉水冰寒，为架一小桥渡之。推此，则其爱人可知。

【注释】

①笃行：行为淳厚。

②美节：高尚的节操。

③愍（mǐn）：同“悯”，怜悯。

【译文】

（北宋的）淮南人孔旻，隐居于乡村中，行为正直，终生不进仕途，节操非常高。曾经有人偷他竹园里的竹子，他觉得小偷过河寒冷太可怜，为他架了一座小桥，让他过去。由此能够看出来他对别人的友爱。

射牛无怪

【原文】

隋吏部尚书牛弘，弟弼好酒而酗，尝醉射杀弘驾车牛。弘还宅，其妻迎，谓曰：“叔射杀牛。”弘闻无所怪，直答曰：“作脯①。”坐定，其妻又曰：“叔忽射杀牛，大是异事②。”弘曰：“已知。”颜色自若，读书不辍③。

【注释】

①作脯：做牛肉干。

②大是异事：实在是十分奇怪的事情。

③辍：停下来。

【译文】

隋朝的吏部尚书牛弘，他的弟弟牛弼酗酒成性，曾在醉酒后，用箭射死牛弘驾车的牛。牛弘回家以后，妻子迎上前去告诉他说：“叔叔杀死了牛。”牛弘听见后，并没有表示奇怪，只是说：“做成肉脯。”等到牛弘坐定以后，他的妻子又说道：“叔叔射死了牛，实在是奇怪的事。”牛弘回答说：“我已经知道了。”神色自若，继续读自己的书。

代钱不言

【原文】

陈重，字景公，举孝廉①，在郎署。有同署郎负息钱数十万，债主日至，请求无已，重乃密以钱代还。郎后觉知而厚辞谢之。重曰：“非我之为，当有同姓名者。”终不言惠②。

【注释】

①举孝廉：汉代发现和培养官吏预备人选的一种方法。

②不言惠：不说自己对别人的好。

【译文】

（东汉的）陈重，字景公，被推举为孝廉，在衙门中当官。有个同僚欠了数十万钱的债务，债主每天登门，不停地催债，于是陈重暗中用自己的钱替这个人还清了债。同僚知道后感谢他，陈重却说：“并非我做的，可能是相同姓名的人做的吧。”自始至终没有提过替人还债的恩惠。

认豕不争

【原文】

曹节，素仁厚。邻人有失豕者，与节豕相似，诣门①认之，节不与争。后所失豕自还，邻人大惭，送所认豕，并谢。节笑而受之。

【注释】

①诣门：登门，上门。

【译文】

曹节，一直仁慈厚道。邻居家丢了一头猪，和曹节家的猪长得很像，邻居便到曹节家中去认领，曹节没有与他争论。后来，邻居的猪自己跑了回来，邻居觉得非常惭愧，将曹节的猪归还并道歉，曹节微笑着收下了猪。

鼓琴不问

【原文】

赵阅道为成都转运使，出行部内①，唯携一琴一龟，坐则看龟鼓琴。尝过青城山，遇雪，舍②于逆旅。逆旅③之人不知其使者也，或慢狎④之，公颓然⑤鼓琴不问。

【注释】

①部内：辖区之内。

②舍：投宿。

③逆旅：旅店。

④慢狎（xiá）：怠慢，侮辱。

⑤颓然：寂静沉默。

【译文】

（北宋的）赵阅道任成都转运使，有一次出去巡行，身边仅仅带着一张琴和一只乌龟，休息时一边看着乌龟，一边弹琴。有次，他路过青城山，遇上大雪，住在旅馆里。其他旅客不知他是转运使，有的甚至出口侮辱他。赵阅道弹着琴，对他们的话完全不闻不问。

唯得忠恕

【原文】

范纯仁尝曰："我平生所学，唯得'忠恕'二字，一生用不尽。以至立朝事君，接待僚友，亲睦宗族，未尝须臾离此也。”又戒子弟曰：“人虽至愚，责人则明；虽有聪明，恕己则昏。尔曹[1]但常以责人之心责己，恕己之心恕人，不患不到圣贤地位也。”

【注释】

①尔曹：你们这些人。

【译文】

(北宋的) 范纯仁曾说：“我一生学习，所获得的只有‘忠、恕’二字，这两个字让我一生受用不尽。上至在朝做官侍奉君王，下至接待同事朋友，同亲戚宗族的人和睦相处，从未曾有一刻不遵从这两个字。”又告诫子弟说：“一个人就算是特别愚笨，他在指责别人时总会很聪明；一个人就算是非常聪明，宽恕自己时也会变得很糊涂。你们应该用指责别人的心态去指责自己，用宽恕自己的心态去宽恕别人。如此，就不用害怕无法达到圣贤的境界了。”

益见忠直

【原文】

王太尉旦荐寇莱公为相，莱公数短[1]太尉于上[2]前，而太尉专称其长。上一日谓太尉曰：“卿虽称其美，彼谈卿恶[3]。”太尉曰：“理固当然。臣在相位久，政事阙失[4]必多。准对陛下无所隐，益见其忠直。此臣所以重准也。”上由是益贤太尉。

【注释】

①数短：多次说别人短处。

②上：皇帝。

③恶：缺点。

④阙失：同“缺失”。

【译文】

(北宋的) 太尉王旦曾经推荐寇准出任宰相，寇准多次在皇帝面前揭露王旦的短处，而王旦却总是夸赞寇准的优点。有一天，皇帝对王旦说：“你虽然夸赞寇准的长处，但是他总是说你的坏话。”王旦说：“这也符合常理。我在宰相的位子上待了很久，在处理政事时一定会有很多失误。寇准对您不隐瞒我的缺点，更加显示出了他的忠诚，这正是我器重他的原因。”皇帝因此更加赞赏王旦的贤明。

酒流满路

【原文】

王文正公母弟①，傲不可训。一日过冬至，祠家庙，列百壶于堂前，弟皆击破之，家人惶骇。文正忽自外入，见酒流，又满路，不可行，俱无一言，但摄衣②步入堂。其后弟忽感悟，复为善。终亦不言。

【注释】

①母弟：同母的弟弟。

②摄衣：提着衣襟。

【译文】

王旦的弟弟，性格桀骜不驯。有一年冬至这天，家里人在家庙中准备祭祀，堂前摆了上百壶酒，王旦的弟弟击碎了所有的酒壶，家里人都非常恐惧。王旦从外面进来，看到酒遍地流淌，路都无法走了，却没有责备一句，只是提起衣服进了堂屋。后来，他的弟弟忽然醒悟过来，痛改前非。王旦也始终没再提起这件事。

不形于言

【原文】

韩魏公器量闳博①，无所不容，自在馆阁②，已有重望于天下。与同馆王拱辰、御史叶定基，同发解[③]开封府举人。拱辰、定基时有喧争，公安坐幕中阅试卷，如不闻。拱辰忿不助己，诣[④]公室谓公曰："此中习器度耶？"公和颜谢之。公为陕西招讨，时师鲁与英公不相与，师鲁于公处即英公事，英公于公处亦论师鲁，公皆纳之，不形于言[⑤]，遂无事，不然不静矣。

【注释】

①闳博：宏伟博大。

②馆阁：掌管图书、编修国史的地方。

③发解（jiè）：主持举人选拔考试。

④诣：登门拜访。

⑤不形于言：不在话语中显露出来。

【译文】

（北宋的）韩琦稳重宽厚很有度量，能够事事容忍，还在馆阁的时候，他的名望就已传遍四海。他曾经与同馆的王拱辰、御史叶定基，一同去开封府主持科举考试。王拱辰、叶定基经常因为评卷而发生争执，而韩琦坐在屋中阅卷，就如同没有听到一样。王拱辰愤怒于他不支持自己，于是去他的房中说："你是在此修养度量吗？"韩琦和颜悦色地向他表达歉意。韩琦在陕西担任招讨时，尹珠与夏竦不合，尹珠在韩琦那边说夏竦的坏话，夏竦在韩琦处也讲尹珠的坏话，韩琦都听着，却从不泄露出去，所以相安无事，否则就难以安宁了。

未尝峻折

【原文】

欧阳永叔在政府时，每有人不中理者，辄峻折[①]之，故人多怨。韩魏公则不然，从容谕之以不可之理而已，未尝峻折之也。

【注释】

①峻折：严厉批评。

【译文】

（北宋的）欧阳修在官府里做官，只要遇到做事于理不合的人就惩罚或斥责他，所以很多人怨恨他。韩琦却并不这样，他总是从容不迫地用不能这样做的道理来教育犯错的人，从不斥责或惩罚别人。

非毁反己

【原文】

韩魏公谓："小人不可求远，三家村①中亦有一家，当求处之之理。知其为小人，以小人处之②。更不可校③，如校之，则自小④矣。人有非毁⑤，但当反己是不？是己是⑥，则是在我，而罪在彼，乌⑦用计其如何？"

【注释】

①三家村：偏僻的山村。

②以小人处之：用适合小人的方法对待。

③校（jiào）：计较。

④自小：自居小人。

⑤非毁：毁谤。

⑥是己是：是自己正确。

⑦乌：哪里。

【译文】

韩琦说："小人没必要去远处寻找，偏僻的小山村中就存在一家，应该寻找同小人打交道的办法。知道他是小人，就用对待小人的方式去对待他。千万不要同他计较，如果同小人计较，自己也就成了小人。如果有人诽谤你，就应该反省自己的行为是否得当，没必要去坚持自己是对的；如果有道理的是自己，而没有道理的是他人，哪里又有必要去计较呢？"

辞和气平

【原文】

凡人语及[①]其所不平，则气必动，色必变，辞必厉。唯韩魏公不然。更说到小人忘恩背义、欲倾己[②]处，辞和气平，如道[③]寻常事。

【注释】

①语及：谈及。

②倾己：拆自己的台。

③如道：如同说起。

【译文】

一般人在讲起自己受到的不公平待遇时，一定会动火气，变脸色，言辞激烈。只有韩琦不会这样，每当他说到小人忘恩负义、准备陷害他时，总是心平气和，就如同谈论平常的事情一样。

委曲弥缝

【原文】

王沂公曾再莅大名代陈尧咨。既视事[①]，府署毁圮[②]者，既旧而葺之，无所改作；什器之损失者，完补之如数；政有不便，委曲弥缝，悉掩其非。及移守洛师，陈复为代，睹之叹曰："王公宜其为宰相，我之量弗及。"盖陈以昔时之嫌，意谓公必反其故，发其隐[③]也。

【注释】

①视事：旧指官吏就职到任。

②圮（pǐ）：坍塌。

③发其隐：公开他的错误。

【译文】

（北宋的）王曾再次去大名府替代陈尧咨的职务。他就职后，官府房屋倒塌的，就在原有的基础上进行了修复，没有做其他改动；损坏了的器物，补修得一件不少；原来的政令有不妥的地方，就尽量进行弥补，做得不对的地方尽量掩盖。等他移任洛阳太守时，陈尧咨重回大名府任职，看到他所做的一切，感慨地说："王公适合担任宰相，我的度量远远不及他呀！"原来，陈尧咨以为以前他们曾经有隔阂，王曾一定会同他的做法相反，并把他的过失公开出去。

诋短逊谢

【原文】

傅献简公言李公沆秉钧日，有狂生叩马献书，历诋[1]其短。李逊谢曰："俟[2]归家，当得详览。"狂生遂发讪怒[3]，随君马后，肆言曰："居大位不能康济天下，又不能引退，久妨贤路，宁不愧于心乎？"公但于马上踧踖[4]再三，曰："屡求退，以主上未赐允。"终无忤也。

【注释】

①诋：毁谤，说人坏话。

②俟：等到。

③讪怒：愤怒。

④踧踖（cù jí）：恭敬而不安的样子。

【译文】

（北宋的）傅尧俞说过，李沆执政的时候，曾有个狂妄的书生拦住他的马，送上一封信，一一陈说他的过失。李沆谦虚地认错说："待我回家以后，再详细地看你的书信。"那个书生于是生气了，跟随在李沆的马后，放肆地喊叫着："你占据了高位，却无法为天下老百姓谋利益，又不主动退位，拦住了贤人进取的路已经很长时间了，难道不觉得惭愧吗？”李沆只是在马上很不安地说：“我多次请求退下来，可是皇帝不答应。”他始终没有对那位书生厉声疾色。

直为受之

【原文】

吕正献公著，平生未尝较曲直①；闻谤，未尝辩也。少时书于座右曰：“不善加己，直为②受之。”盖其初自惩艾③也如此。

【注释】

①较曲直：计较对错。

②直为：直接，径直。

③惩艾：引以为戒。

【译文】

（北宋的）吕公著一生从不和人计较是非曲直，听到别人诽谤他，也从不为自己辩解。他在少年时写了一副座右铭：“别人对你做了不好的事，你只管承受下来。”他当初对自己的警示就如此严厉。

服公有量

【原文】

王武恭公德用善抚士，状貌雄伟动人，虽里儿巷妇①，外至夷狄，皆知其名氏。御史中丞孔道辅等因事以为言，乃罢枢密，出镇，又贬官，知随州。士皆为之惧，公举止言色如平时，惟不接宾客而已。久之，道辅卒，客有谓公曰：“此害公者也。”公愀然曰：“孔公以职言事，岂害我者！可惜朝廷亡一直臣。”于是，言者②终身以为愧，而士大夫服公为有量。

【注释】

①里儿巷妇：街道胡同里的妇女儿童。

②言者：说那些话的人。

【译文】

（北宋的）王德用善于安抚士卒，他身材魁梧，仪表堂堂，就算是住在深巷中的妇女儿童和边远的少数民族，都知道他的姓名。御史中丞孔道辅等因事弹劾王德用，于是王德用被免去了枢密院的官职，离开京城，去镇守外地；后来又被贬官任随州知州。官员们都为他感到担心，但是王德用的言行举止就如同没发生任何事情一般，只是很少与宾客朋友来往罢了。过了很久，孔道辅去世了，有一位朋友对王德用说："这就是害您的人的下场！"王德用伤心地说："孔道辅在其位言其事，怎么可以说是害我呢？可惜朝廷损失了一位直言忠诚的大臣。"说话的人为此终生感到惭愧，而上下官员都敬佩王德用的雅量。

宽大有量

【原文】

《程氏遗书》：子言：范公尧夫之宽大也。昔余过成都，公时摄帅[①]。有言公于朝者，朝廷遣中使[②]降香峨嵋，实察之也。公一日在予款语[③]，予问曰："闻中使在此，公何暇也？"公曰："不尔[④]，则拘束。"已而中使果然怒，以鞭伤传言者耳。属官喜谓公曰："此一事足以塞其谤[⑤]，请闻于朝。"公既不折言者之为非，又不奏中使之过也。其有量如此。

【注释】

①摄帅：兼管当地的军务。

②中使：宫中派遣的使者。

③款语：亲切地交谈。

④不尔：如果不这样。

⑤塞其谤：阻止他人的毁谤。

【译文】

《程氏遗书》记载：程颐说：范尧夫心胸宽广。从前我经过成都时，范尧夫兼管当地军务。有人在朝廷中告了他的状，于是朝廷派使者去峨眉山烧香，实际上是暗中视察范尧夫的政事。有一天，范尧夫同我一起闲谈，我说："据说朝廷的使者在这个地方，此时您怎么还能有闲暇呢？"范尧夫说："如果不这么表现，反而显得拘束了。"后来使者非常恼怒，用鞭子抽打走漏消息的人的耳朵。范尧夫手下的官员对他说："这一件事足以使他不敢在朝廷中诽谤您了，请把这件事上报朝廷。"范尧夫既不驳斥出主意的人，也没有奏报使者随便打人。他的度量实在是太大了。

呵辱自隐

【原文】

李翰林宗谔，其父文正公昉。秉政时避嫌远势，出入仆马，与寒士①无辨。一日，中路逢文正公，前趋不知其为公子也，遽呵②辱之。是后每见斯人，必自隐蔽③，恐其知而自愧也。

【注释】

①寒士：出身低微的人。

②遽（jù）呵：严厉呵斥。

③隐蔽：远离、避开。

【译文】

（北宋的）翰林李宗谔的父亲是李昉，他在父亲执政期间，主动避嫌，远离权势，车马俭朴，与一般的贫寒读书人基本没有区别。有一天李宗谔在路上遇到父亲，父亲马前的官吏不知道他是公子，严厉地呵斥并且羞辱了他。从那次以后，李宗谔每遇到他，都会提前主动避让，只是为了避免他知道自己的身份后感到惭愧。

容物不校

【原文】

傅公尧俞在徐，前守侵用公使钱，公寖[①]为偿之。未足而公罢，后守反以文移[②]公，当偿千缗[③]，公竭资且假贷偿之。久之，钩考得实[④]，公盖未尝侵用也，卒不辩。其容物不校如此。

【注释】

①寖（jìn）：逐渐地。

②移：旧时公文的一种，用于不相统属的官署间。

③缗（mín）：古代计量单位，一千钱为一缗。

④钩考得实：经过调查证实。

【译文】

（北宋的）傅尧俞任徐州太守时，前任太守挪用了公家钱物，傅尧俞悄悄地替他还债。还没有还完债，傅尧俞就被罢免了。接任太守上任后写信给傅尧俞，要求他再还一千缗。傅尧俞拿出了全部家产，还借了钱，才将这笔钱补足。后来经过核实，证明了这钱不是傅尧俞挪用的，但是他自己始终没有申辩过。他能容忍而不计较别人竟然到了如此地步。

德量过人

【原文】

韩魏公镇相州，因祀宣尼[①]省宿，有偷儿入室，挺刃曰："不能自济[②]，求济于公。"公曰："几上器具可直百千，尽以与汝。"偷儿曰："愿得公首以献西人[③]。"公即引颈。偷儿稽颡[④]曰："以公德量过人，故来相试。几上之物，已荷公赐，愿无泄也。"公曰："诺。"终不以告人。其后为盗者以他事坐罪，当死，于市中备言其事，曰：“虑吾死后，惜公之遗德⑤不传于世。”

【注释】

①宣尼：孔子。

②自济：自己养活自己。

③西人：西夏。

④稽颡（qǐ sǎng）：古代一种跪拜礼，屈膝跪地，额头触地，表示极度虔诚。

⑤遗德：留下美好品德。

【译文】

韩琦镇守相州时，由于祭祀孔子庙住在官府。有一个小偷闯进房中，拿着刀对韩琦说道：“我无法养活自己，所以向您求助。”韩琦说：“桌案上的东西可以值不少钱，都给你吧。”小偷说：“我想割下你的头，献给西夏人。”韩琦当即伸出脖子让他杀头。小偷叩头说：“听说你的度量非常大，所以来试试你。桌案上的东西我拿走了，希望你不要把这件事情说出去。”韩琦说：“我答应你。”然后，韩琦真的终生没有将这件事告诉别人。后来，这个小偷因为犯了其他的事被判罪，将要被砍头时，在刑场上说出了这件事的始末。他说：“我担心我死后，世人就不知道韩魏公的德行了。”

众服公量

【原文】

彭公思永，始就举时，贫无余赀①，惟持金钏②数只栖于旅舍。同举者过③之，众请出钏为玩。客有坠其一于袖间，公视之不言，众莫知也，皆惊求之。公曰：“数止此，非有失也。”将去，袖钏者揖而举手，钏坠于地。众服公之量。

【注释】

①赀（zī）：同“资”。

②钏（chuàn）：用珠子或玉石穿起来做成的镯子。

③过：探视。

【译文】

（北宋的）彭思永当年参加科举考试时，家里贫寒没有参加考试的资财，仅仅带了几只金钏，住在旅馆里。一起参加考试的人请他将金钏拿出来看一看。有一位客人将其中的一只藏在了自己的衣袖中，彭思永看到了也没说什么，大家却都不知道，纷纷惊慌地寻找。彭思永说："金钏只有这些，没有丢失。"众人准备道别时，袖中藏着金钏的人举起手作揖，金钏便掉到了地上。大家都十分钦佩彭思永的度量。

还居不追直

【原文】

赵清献公家三衢[①]，所居甚隘，弟侄欲悦公意者，厚以直[②]易邻翁之居，以广公第。公闻不乐，曰："吾与此翁三世[③]为邻矣，忍弃之乎？"命亟还公居而不追其直。此皆人情之所难也。

【注释】

①三衢（qú）：多条大路的交叉口。

②厚以直：用很高的价钱。

③三世：古人以三十年为一世，此处指三代。

【译文】

（北宋的）赵抃家居住于三条大路交界的地方，房子非常拥挤，他的弟弟侄儿们想让他高兴，就用很高的价钱买了邻屋一位老人的房子，想要扩建赵家住宅。赵公听到这件事后非常不高兴，说："我和这位老人三代都是邻居，怎么忍心将他抛弃呢？"于是命令侄子们立即将房子还给了老人，却没有追要买房子的钱。这是一般人很难做到的。

持烛燃须

【原文】

宋丞相魏国公韩琦帅定武[①]时，夜作书，令一侍兵持烛于旁。侍兵它顾，烛燃公之须，公遽[②]以袖摩之，而作书如故。少顷回视，则已易其人矣。公恐主吏鞭笞，亟呼视之，曰："勿易渠[③]，已解持烛矣。"军中咸服。

【注释】

①定武：北宋定武军。

②遽（jù）：急忙。

③渠：方言，他。

【译文】

宋朝丞相韩琦，率兵在定武时，深夜写信，让一名侍卒举着蜡烛站在他的身旁照亮。侍卒由于走神看别的地方，蜡烛倾斜烧到了韩琦的胡须，他马上用衣袖拂灭了继续写字。过了一会儿回过头来一看，已经换了一位侍卒举着蜡烛。韩琦担心主管的人惩罚之前的侍卒，连忙说："无须换掉他，他已经知道如何去持蜡烛了。"军队中的官兵都十分佩服他。

物成毁有时数

【原文】

魏国公韩琦镇大名[①]日，有人献玉杯二只，云："耕者入坏冢而得之，表里无瑕可指，亦绝宝也。"公以白金答之，尤为宝玩。每开宴召客，将设一桌，覆以锦衣，置玉杯其上。一日召漕使[②]，且将用之酌酒劝坐客，俄为一吏误触倒，玉杯俱碎，坐客皆愕然，吏且伏地待罪。公神色不动，笑谓坐客曰："凡物之成毁，亦自有时数。"俄顾[③]吏，曰："汝误也，非故也，何罪之有？”坐客皆叹服公宽厚之德不已。

【注释】

①大名：地名，位于河北省东南部，河北、山东、河南三省交界处。

②漕使：负责漕运的官员。

③顾：回头看。

【译文】

韩琦镇守大名府时，有人进献了两只玉杯，说：“这是种田的人在塌陷的坟中找到的，从里到外都没有瑕疵，属于绝世之宝。”韩琦用白金酬谢献杯的人，十分珍爱这两只玉杯。每逢宴饮招待客人的时候，韩琦都会特意摆上一张桌子，上盖锦缎，将玉杯放在上面。一天，招待管理漕运的官吏，准备拿着这两只玉杯装酒，来招待客人。不一会儿，一位侍卒不小心撞倒了桌子，两只玉杯都摔碎了。客人们都感到震惊，那位侍卒也赶紧伏在地上等待惩处。韩琦脸色没有任何变化，笑着对客人们说：“任何物品的毁坏，都有定数。”过了一会儿，回头对那位侍卒说：“你是因为失误造成的，不是故意的，有什么过错呢？”客人纷纷对韩琦宽厚的德行以及度量感到佩服不已。

骂如不闻

【原文】

富文忠公少时，有骂者，如不闻。人曰：“他骂汝。”公曰：“恐骂他人。”又告曰：“斥公名云富某。”公曰：“天下安知[①]无同姓名者？”

【注释】

①安知：怎么知道。

【译文】

（北宋的）富弼年少时，有人侮辱他，他就如同没有听到一样。有人告诉他说：“他在骂你。”富弼说：“恐怕是在骂别人。”那个人又告诉他："他指名道姓地骂你。"富弼说："这天下难道就没有同姓名的人了吗？"

佯为不闻

【原文】

吕蒙正拜参政，将入朝堂，有朝士于帘下指曰："是小子亦参政耶？"蒙正佯为不闻。既而[1]同列必欲诘其姓名，蒙正坚不许，曰："若一知其姓名，终身便不能忘，不如不闻也。"

【注释】

①既而：不久。

【译文】

（北宋的）吕蒙正被任命为宰相，正准备入朝时，朝中的一位官吏在门帘下指着他说："这个小子也做了宰相吗？"吕蒙正假装没有听见。与他同行的官员一定要问清此人的姓名，吕蒙正坚决不同意，他说："一旦知道了他的姓名，便终生不会忘记了，还不如一直不知道。"

骂殊自若

【原文】

狄武襄公为真定副帅，一日，宴刘威敏沔[1]，有刘易者亦与坐。易素疏悍[2]，见优人[3]以儒为戏，乃勃然曰："黥卒[4]乃敢如此。"诟骂武襄不绝口，掷樽俎[5]而起。武襄殊自若，不少动，笑语愈温。易归，方自悔，则武襄已踵门[6]求谢。

【注释】

①刘威敏沔（miǎn）：应指孙沔，北宋人，中进士第。累官枢密副使，以尚书礼部侍郎致仕。

②疏悍：疏阔强悍。

③优人：唱戏的人。

④黥（qíng）卒：宋代时，常在士兵脸上刻字以防其逃跑，故称黥卒。

⑤樽俎（zǔ）：古代盛放酒肉的器皿，后来常代指酒席。

⑥踵门：亲自登门。

【译文】

（北宋的）狄青任真定副统帅时，一天宴请孙沔，有个叫刘易的人也在座。刘易向来粗疏强悍，看到席间唱戏的人扮演读书人以取乐众人。于是勃然大怒，说："流配为兵的人竟然敢这样！"接着大骂狄青，不绝于口，同时还摔了桌上的酒杯。狄青神色自若，丝毫没有其他举动，笑声和语气更加温和。刘易回家后正在自惭，狄青已经来登门赔礼道歉了。

为同列斥

【原文】

王吉为添差都监，从征刘旰。吉寡语，若无能。动为同列斥，吉不问，唯尽力王事。卒破贼，迁统制[①]。

【注释】

①统制：古代官名。

【译文】

（北宋的）王吉任添差都监，参与征讨刘旰。王吉平日里少言寡语，看起来很无能。动辄被同事斥责，王吉也不回应，只是尽心尽力地做事。最终打败了敌人，他被升为军队统制。

不发人过

【原文】

王文正太尉局量宽厚，未尝见其怒。饮食有不精洁者，但不食而已。家人欲试其量，以少埃墨[1]投羹中，公唯啖饭而已。问其何以不食羹，曰："我偶不喜肉。"一日又墨其饭，公视之，曰："吾今日不喜饭，可具粥。"其子弟愬[2]于公曰："庖肉[3]为饔人[4]所私食，肉不饱，乞治之。"公曰："汝辈人料肉几何？"曰："一斤。今但得半斤食，其半为饔人所廋[5]。"公曰："尽一斤可得饱乎？"曰："尽一斤固当饱。"曰："此后人料一斤半可也。"其不发人过皆类此。尝宅门坏，主者撤屋新之，暂于廊庑下启一门以出入。公至侧门，门低，据鞍俯伏而过，都不问门。毕复行正门，亦不问。有控马卒[6]，岁满辞公，公问："汝控马几时？"曰："五年矣。"公曰："吾不省[7]有汝。"既去，复呼回，曰："汝乃某人乎？"于是厚赠之。乃是逐日控马，但见背，未尝视其面，因去见其背方省也。

【注释】

①埃墨：烟灰。

②愬（sù）：同"诉"。

③庖（páo）肉：厨房里的肉。

④饔（yōng）人：泛指厨师。

⑤廋（sōu）：藏匿。

⑥控马卒：驾驭马匹的人。

⑦不省（xǐng）：不记得。

【译文】

太尉王旦度量很大，从来没有见他发过怒。如果饮食不干净或不好时，也就是不吃而已。家里的人想试试他的度量，就把少量的烟灰洒在汤里，王旦就只吃饭。问他为什么不喝汤，他说："我偶尔会不喜欢喝肉汤。"有一天，家人又把墨洒在他的饭中，王旦见到之后，说："我今天不想吃饭，你们可以熬一些粥。"他的子孙有人告诉他说："肉都被做饭的人偷偷吃了，我们就吃不饱了，请处罚那个厨子。"王旦说："你们大概吃多少肉？"子弟说："要吃一斤。但现在仅仅能吃到半斤肉，剩下的半斤让厨子藏起来了。”王旦说：“一斤肉可以吃饱吗？”子弟说：“一斤肉当然能够吃饱。”王旦说：“那么，以后每天买一斤半的肉就行了。”他总是这样，从不揭露别人的过失。一次，他住宅的门坏了，管理房子的人准备修补好它，暂时在走廊上开出一道门以供出入。王旦来到门前，门非常低，他俯在马鞍上进门，也没有询问情况。门修好了，重新走正门，也没有问什么。有一位驾车的士卒，驾车时间满了，与王旦辞行。王旦问他：“你驾车多长时间了？”驾车人回答：“五年了。”王旦说：“然而我却不认识你。”驾车的人转过身刚准备离开，王旦喊他回来，说：“你不是某某人吗？”于是赠予他很多物品。原来，这名士卒每天驾车只是以背对着王旦，王旦从来没有见过他的正面，因为他刚才转身，所以王旦认出来了。

器量过人

【原文】

韩魏公器量过人，性浑厚，不为畦畛[①]峭堑。功盖天下，位冠人臣，不见其喜；任莫大之责，蹈不测之祸，身危于累卵[②]，不见其忧。怡然有常，未尝为事物迁动，平生无伪饰[③]。其语言，其行事，进，立于朝与士大夫语；退，息于室与家人言，一出于诚。人或从公数十年，记公言行，相与反复考究，表里皆合，无一不相应[④]。

【注释】

①畦畛（qí zhěn）：田间的分界道，意指界限隔阂。

②危于累卵：比喻形势非常危险，就像堆起来的蛋，随时有坍塌打碎的可能。

③伪饰：虚伪矫饰。

④无一不相应：指言行一致。

【译文】

韩琦度量过人，性情浑厚纯朴，从不崖岸自高，也不与别人斤斤计较。他功盖天下，位居大臣之首，却从不见他沾沾自喜；他担负巨大的责任，历经难以预料的灾祸，生命濒临险境，也从没有见过他忧愁。他怡然自乐，从来不曾由于事物而有所变化，一生说话毫不伪饰。他说话做事，上朝以后站着与其他官员说话，回来以后，休息时同家里人交流，都是诚心诚意。有一个跟在他身边几十年的人，记下了他的一言一行，反复对照，发现他的言行一致，不存在表里不一的地方。

动心忍性

【原文】

尧夫解“他山之石，可以攻玉”：“玉者，温润之物，若将两块玉来相磨，必磨不成。须是得他个粗矿底物，方磨得出。譬如君子与小人处，为小人侵陵①，则修省畏避，动心忍性②，增益预防，如此便道理出来。”

【注释】

①侵陵：侵犯，欺凌。陵，通“凌”。

②动心忍性：比喻用困苦艰难来磨炼自己的身心。

【译文】

（北宋的）邵雍解释“他山之石，可以攻玉”这句话说：“玉，属于温润的物品，如果拿着两块玉石相磨，肯定磨不成玉。必须用粗糙的矿石，才能够磨得出玉。这就像君子和小人相处一样，被小人所欺，却自己反省修炼，提防避开小人，耐心忍让，增加预防能力，如此就能够成为君子了。”

受之未尝行色

【原文】

韩魏公因谕君子小人之际[①]，皆当以诚待之。但知其小人，则浅与之接耳。凡人之于小人欺己处，觉必露其明以破之，公独不然。明足以照小人之欺，然每受之，未尝形色[②]也。

【注释】

①君子小人之际：与君子、小人的交往。

②形色：表现在脸上。

【译文】

韩琦说，不管是与君子还是与小人相处，都应该以诚相待。知道他是小人，在与他交往时浅一点就行了。一般人遇到小人欺负自己的时候，发觉了就一定要揭露他，而韩琦却不会这样。他的贤明足够让他认清小人的欺人行为，但是每次他遇到被小人欺负，都会接受下来，从不在脸上表现出来。

与物无竞

【原文】

陈忠肃公瓘[①]，性谦和，与物无竞。与人议论，率[②]多取人之长。虽见其短，未尝面折[③]，唯微示意以警之，人多退省愧服。尤好奖进[④]后辈，一言一行，苟有可取，即誉美传扬，谓己不能。

【注释】

①陈忠肃公瓘（guàn）：陈瓘，北宋元丰二年（1079）探花。他为人谦和，不争财物，不苟言谈。

②率：大概。

③面折：当面批评指责。

④奖进：称许引荐。

【译文】

陈瓘性情谦恭和蔼，从来不和别人争高低。在讨论别人时，总是谈论他人的优点，就算见到了别人的短处，也不会当面指责，仅仅是稍微提示一下，让他知道。当事人大部分都是在回去以后反省觉悟并感到惭愧佩服。陈瓘尤其喜欢提携后辈，后辈的一言一行如果存在可取的地方，就会毫不吝啬地赞誉传扬，并声称自己做不到。

忤逆不怒

【原文】

先生每与司马君实说话，不曾放过。如范尧夫，十件只争得三四件便已。先生曰："君实[1]只为能受，尽人忤逆[2]终无怒，便是好处。"

【注释】

①君实：司马光，字君实，为人温良谦恭。

②忤逆：冒犯。

【译文】

（程颐）先生每次同司马光谈话，不曾放弃过自己的看法。而同范尧夫，十件事情中往往只争论其中的三四件事便算了。先生说："就是因为司马光可以忍受（他人的冒犯，我才同他争论），就算别人顶撞他，他也始终不生气变脸，这就是他的过人之处。"

潜卷授之

【原文】

韩魏公在魏府，僚属[1]路拯者就案[2]呈有司[3]事，而状尾忘书名。公即以袖覆之，仰首与语，稍稍潜卷[4]，从容以授之。

【注释】

①僚属：属官，属吏。

②就案：在桌案前。

③有司：有关部门。

④潜卷：悄悄地卷起来。

【译文】

韩琦在魏国公府，部下路拯在他的桌案前呈上文书，但是文书的结尾部分忘了签上名字。于是韩琦就用衣袖盖起来，抬着头同部下讲话，悄悄地将文书卷起来，若无其事地交给他（补签名字）。

俾之自新

【原文】

杜正献公衍尝曰："今之在上者，多擿发[1]下位小节，是诚不恕[2]也。衍知兖州时，州县官有累重[3]而素贫者，以公租所得均给之。公租不足，即继以公帑[4]，量其小大，咸使自足。尚有复侵扰者，真贪吏也，于义可责。"又曰："衍历知州，提转安抚，未尝坏一个官员，其间不职者，即委以事，使之不暇惰；不谨者，谕以祸福，俾之自新[5]。而迁善[6]者甚众，不必绳以法也。"

【注释】

①擿（tī）发：揭露。

②不恕：不宽容。

③累重：负担很重。

④公帑（tǎng）：公款。

⑤俾之自新：使之改过自新。

⑥迁善：改邪归正。

【译文】

杜衍曾说："如今身居高位的人，大多喜欢揭露下属的小过失，这种行为真是不宽容。我在任兖州知州时，州县官员有的家中负担重而一直很贫困的，就用收到的租税给他们补助，如果租税不够，就用公家的钱财，根据他们需要的多少，来让他们可以自给自足。如果这样还有侵占公家财物的，那就真是贪官污吏了，就可以从道义上去责备他们了。"又说："我从做知州到安抚使，从未惩罚过一位官员。对于其中不称职的人，就让他做一些实际的事情，使他没有空闲的时间去偷懒；对于不谨慎的官员，就用不谨慎带来的祸患教育他，使他改过自新。于是变成好人的很多，不一定要将他们全部绳之以法。"

未尝按黜一吏

【原文】

陈文惠公尧佐，十典①大州②，六为转运使，常以方严肃下，使人知畏而重犯法。至其过失，则多保祐之。故未尝按黜一下吏。

【注释】

①典：主管。

②大州：大的州郡。

【译文】

（北宋的）陈尧佐，十次任大州的长官，六次任转运使，他以公正严肃的态度对待属下，让人深感敬畏而意识到犯罪的严重后果。对于部下的过失，他却大多能够加以原谅。因此从来没有罢免过一位官吏。

小过不怿

【原文】

宋朝韩亿在中书，见诸路职司捃拾官吏小过，不怿[1]曰："今天下太平，主上之心，虽昆虫草木皆欲得所。士之大者望为公卿，次而望为侍从，职司二千石下，亦望为州郡幕职官，奈何锢之于圣世！"

【注释】

①不怿（yì）：不高兴。

【译文】

宋代的韩亿任职于中书省时，看到各路官员苛责下级官吏的小过失，不满意地说："如今天下太平，哪怕是昆虫草木，皇上都想让它们各得其所。士大夫上则希望成为公卿，次等的也盼望成为侍从，俸禄在二千石以下的，也期盼成为州郡的长官。为什么要把他们禁锢在这太平盛世中呢？"

拔藩益地

【原文】

陈嚣与民纪伯为邻，伯夜窃藩嚣地自益。嚣见之，伺伯去后，密拔其藩一丈，以地益[1]伯。伯觉之，惭惶[2]，既还所侵，又却一丈。太守周府君高嚣德义，刻石旌表[3]其闾[4]，号曰义里。

【注释】

①益：增加。

②惭惶：惭愧惶恐。

③旌表：古代统治者用立牌坊或挂匾额的方式表扬遵守封建礼教的人。

④闾（lǘ）：古代二十五家为一闾，也指里巷的大门，后指人聚居的地方。

【译文】

（东汉的）陈嚣与纪伯是邻居，纪伯晚上悄悄地把竹篱笆向陈嚣的地里移动，来增加自己土地的面积。陈嚣看见了，等到纪伯走后，就又悄悄将篱笆朝自己这边继续移动了一丈，来让纪伯土地的面积更大一些。纪伯发现以后，非常惭愧，除了归还侵占的土地之外，还把篱笆朝着自己这边移动了一丈。周太守觉得陈嚣的品德十分高尚，于是用石刻上“义里”二字，来赞扬他。

兄弟讼田，至于失欢

【原文】

清河百姓乙普明兄弟争田，积年不断。太守苏琼谕[①]之曰：“天下难得者，兄弟；易求者，田地。假令得田地，失兄弟心，如何？”普明兄弟叩头，乞外更思，分异十年，遂还同住。

【注释】

①谕：告诉，教导。

【译文】

清河老百姓乙普明兄弟二人，为一块田地彼此争执了很多年。太守苏琼教导他们说：“普天之下，最难得的是兄弟，而容易得到的是田地。如果你得到了田地，却失去了兄弟的情义，那又有什么意思呢？”普明兄弟二人叩头，请求去外面想一想，于是，分开了十年的两兄弟又重归于好了。

将忿忍过片时，心便清凉

【原文】

彭令君曰：“一朝之忿可以亡身及亲，锥刀之利[①]可以破家荡业，故忿争不可以不戒，大抵忿争之起，其初甚微，而其祸甚大。所谓涓涓不壅[②]，将为江河；绵绵不绝，或成网罗。人能于其初而坚忍制伏之，则便无事矣。性犹火也，方发之初，戒之甚易；既已焰炽，则焚山燎原，不可扑灭，岂不甚可畏哉！俗语有云：得忍且忍，得戒且戒，不忍不戒，小事成大。试观今人忿争致讼[③]，以致亡身及亲、破家荡产者，其初亦岂有大故哉？被人少有触击则必忿，被人少有所侵凌则必争。不能忍也，则詈[④]人，而人亦詈之；殴人，而人亦殴之；讼人，而人亦讼之。相怨相仇，各务相胜，胜心既炽，无缘可遏，此亡身及亲、破家荡业之由也。莫若于将忿之初则便忍之，才过片时，则心便清凉矣。欲其欲争之初则且忍之，果所侵有利害，徐以礼恳问之，不从，而后徐讼之于官可也。若蒙官司见直，行之稍峻，亦当委曲以全邻里之义。如此则不伤财，不劳神，身心安宁，人亦信服。此人世中安乐法也。比之忿斗争竞，丧心费财，伺候公庭，俯仰胥吏[⑤]，拘系囹圄[⑥]，荒废本业，以至亡身及亲、破家荡产者，不亦远乎？”

【注释】

①锥刀之利：比喻微小的利益，或非常小的事情。

②涓涓不壅（yōng）：细小的水流如果不堵塞。

③致讼：导致打官司。

④詈（lì）：责骂。

⑤胥（xū）吏：古代的小官吏。

⑥囹圄（líng yǔ）：监狱。

【译文】

彭令君说过：“一时的愤怒能够断送性命，连累家人；锥尖刀刃那么点儿大的蝇头小利，能够导致倾家荡产。因此，纷争不可以不忍让。一般来说，纷争都是由非常小的事情引起的，但是其造成的恶果却非常大。这就是人们所说的：‘细小的流水不阻止它，就可以汇成江河；纤细的丝线不斩断它，也能够织成罗网。’一个人如果可以在一开始就坚持忍让，控制好自己的情绪，就不会有事。人的性情就如同火一般，火刚烧起来的时候扑灭很容易，但是一旦烧成大火，就会将山林与草地烧毁，很难再扑灭了。这不是太可怕了吗？因此有俗语说：‘得忍且忍，得诫且诫，不忍不诫，小事变成大事。’再看看如今的人，挑起纷争致使官司缠身，甚至送掉性命，连累到家人，最后倾家荡产的，当初哪有什么重大的理由呢？被别人稍微触犯了一点，就怨恨他；被别人稍稍侵占了一丁点好处，就一定要与人争辩。不能忍让，因为这些就骂人，别人也会骂你；如果殴打别人，别人也会殴打你；告别人的状，别人也会告你的状。相互仇恨，双方都极力想要取胜。这样的心思越炽热，也就越无法遏制了，这便是送掉性命，连累亲人，倾家荡产的源头了。不如在最开始的时候就忍住愤怒，等上一会儿，心境也就自然平静了。在纷争刚产生的时候就忍让，如果别人真的侵占了你的利益，慢慢地以礼相询，如果实在不行再去打官司也可以。如果官府主持正义，但判决有些严厉，也应该委曲求全照顾邻里情义。如此一来就不会伤财，也不会劳神，身心安宁，别人也就愿意信服你。这便是世上的安乐法。比起那些竭力与人纷争，以至于费心费财，伺候官府，巴结小吏以及关进监狱，荒废事业，甚至丢掉性命连累亲人的人，其差距是多么大呀。”

忿争损身，忿讼损财

【原文】

应令君曰：“人心有所忿者，必有所争；有所争者，必有所损。忿而争斗损其身，忿而争讼[1]损其财。此君子所以鉴《易》之《损》而惩忿也。”

【注释】

①争讼：因争论而诉讼打官司。

【译文】

（宋末元初的）应令君说：“人的心中存在愤怒，就一定会和人争斗；与他人争斗，就一定会有所损失。因愤怒而与人争斗会伤害自己的身体，因愤怒而与别人打官司，就会损失自己的财产。所以君子鉴于《易经·损卦》的卦象来告诫自己，不要轻易动怒。”

十一世未尝讼人于官

【原文】

按《图记》云：“雷孚，宜丰人也，登进士科，居官清白，长厚，好德与义，以枢相[①]恩赠太子太师。自唐雷衡为人长厚[②]（咸通中人），至孚十一世，未尝讼人于官。时以为积善之报。”

【注释】

①枢相：宋代担任枢密使的人称为枢相。

②长厚：恭谨宽厚。

【译文】

据《图记》载：“雷孚，宜丰人，登进士科及第，为官十分清廉、忠厚，讲究仁义道德。曾担任枢密使，而且还因此获赐太子太师的官职。从唐代的雷衡就为人忠厚，一直到雷孚，一共十一代人，从未与他人打过官司。当时的人认为这便是他家先辈积德的善报。”

无疾言遽色

【原文】

吕正献公自少讲学，明以治心养性为本，寡嗜欲，薄滋味，无疾言，无遽色，无窘步，无惰容[①]，凡嬉笑俚近之语，未尝出诸口。于世利纷华、声伎游宴[②]，以至于博弈奇玩，淡然无所好。

【注释】

①惰容：萎靡不振的神情。

②声伎游宴：声色犬马，歌舞宴会。

【译文】

吕公著少年时期讲求学问，就明白人应该以修身养性为根本，清心寡欲，淡泊口腹之欲，从来没有严厉的语言，没有愤怒的脸色，没有慌张的行为，没有疲倦的神情，从不说粗俗戏谑的话。对那些世俗的繁华、声色犬马、歌舞宴会乃至赌博、下棋等娱乐活动都看得非常平淡而不痴迷。

子孙数世同居

【原文】

温公曰："国家公卿能守先法久而不衰者，唯故李相昉家，子孙数世至二百余口，犹同居共爨[①]，田园邸舍[②]所收，及有官者俸禄，皆聚之一库，计口日给饷。婚姻丧葬所费，皆有常数，分命子弟掌其事。"

【注释】

①爨（cuàn）：烧火做饭。

②邸舍：在古代专指货栈。

【译文】

司马光说："国家的公卿官吏当中，可以继承先辈礼法，而长久昌盛不衰的，只有已故的丞相李昉家。李昉一家子孙几代，共二百余人，至今依然住在一起，共同生活。田地、菜园中所收成的东西还有做官之人的俸禄，全部集中放在一座仓库当中，根据人口计划开支每日的生活费用。婚丧嫁娶的开支都有规定的数额，由儿孙们分别掌管。"

愿得金带

【原文】

康定[1]间，元昊寇边，韩魏公领四路招讨，驻延安。忽夜有人携匕首至卧内，遽搴[2]帏帐，魏公延坐，问："谁何[3]？"曰："某来杀谏议。"又问曰："谁遣汝来？"曰："张相公遣某来。"盖是时，张元夏国正用事也。魏公复就枕曰："汝携予首去。"其人曰："某不忍，愿得谏议金带，足矣！"遂取带而出。明日，魏公亦不治此事。俄有守陴[4]卒报城橹[5]上得金带者，乃纳之。时范纯祐亦在延安，谓魏公曰："不治此事为得体，盖行之则沮国威[6]。今乃受其带，是堕贼计中矣。"魏公握其手，再三叹服曰："非琦所及。"

【注释】

①康定：北宋仁宗年号，具体为1040—1041年。

②搴（qiān）：撩起。

③谁何：是谁？

④守陴（pí）：守城。

⑤城橹（lǔ）：城上望楼。

⑥沮国威：败坏了国家的威名。

【译文】

宋朝康定年间，韩琦为抵御元昊的侵犯，带四路兵马讨伐，驻扎在延安。有一天夜里突然有人携匕首来到韩琦的卧室，掀开帷帐。韩琦问道："你是谁？"对方回答道："我是来杀你的。"韩琦又问："是谁派你来的？"对方回答说："是张相公派我来杀你。"当时，张元正在西夏执政。韩琦重新躺回床上，从容答道："你将我的头取走吧！"那个人说："我不忍心杀你，将你的金带拿走就行了。"然后带走了他的金带。第二天，韩琦也没有处理这件事。过了一会儿，守城墙的士兵报告说，在城墙上捡到一条金带。韩琦于是收回了金带。当时范纯祐也在延安，他对韩琦说："没有处理这件事非常得体，如果处理，就会有损于国家的威望。现在你承认了带子，就证明了敌军曾拿到了主帅的东西，便是中了敌人的奸计了。"韩琦握着他的手，佩服地说："这不是我韩琦所能想到的。"

恕可成德

【原文】

范忠宣公亲族有子弟请教于公，公曰："唯俭可以助廉，唯恕可以成德①。"其人书于座隅②，终身佩服。公平生自奉养，无重肉③，不择滋味粗粝。每退自公，易衣短褐④，率以为常。自少至老，自小官至达官，终始如一。

【注释】

①成德：成就美德。

②座隅：座位的旁边。

③无重（chóng）肉：没有两种以上的肉食。

④易衣短（shù）褐：意为改穿粗布衣服。短，通"裋"。

【译文】

范纯仁的亲属当中有一位子弟，向他请教。他说："唯有俭朴能够助人廉洁，只有宽恕忍让能够助人成就美德。"这位子弟将这句话写在了自己的书桌旁，终生奉为格言。范纯仁平生注意修身养性，对于饮食从来不挑剔，餐桌上从来没有两种以上的肉食，也不在意滋味与做工。从官府回来以后，立即换上粗布衣服，习以为常。从小到老，从小官到大官，始终如一。

公诚有德

【原文】

荥阳吕公希哲，熙宁初监陈留税，章枢密粢①方知县事，心甚重公。一日与公同坐，遽峻辞色，折公以事。公不为动，章叹曰："公诚有德者，我聊[2]试公耳。"

【注释】

①章枢密楶（jié）：章楶，字质夫，建州浦城人，宋哲宗时以功加封枢密院直学士。

②聊：姑且。

【译文】

荥阳吕希哲，宋朝熙宁初年任陈留县的税官，当时章楶正在陈留任知县，非常看重吕希哲。一天，章楶与吕希哲坐在一起，言辞激烈地指责吕希哲，吕希哲自始至终都没有发怒。章楶感叹地说："您的确是道德高尚的人啊！我只是想试试您。"

所持一心

【原文】

王公存极宽厚，仪状伟然。平居恂恂[1]，不为诡激[2]之行。至有所守，确不可夺[3]。议论平恕，无所向背[4]。司马温公尝曰："并驰万马中，能驻足者，其王存乎？"故自束鬓起家，以至大耋[5]，历事五世，而所持一心，屡更变故，而其守如一。

【注释】

①恂（xún）恂：恭敬温顺的样子。

②诡激：诡异偏激。

③确不可夺：坚守不为所动。

④向背：迎合背弃。

⑤大耋（dié）：指八十岁以上的老年人，意为高龄老人。

【译文】

（北宋的）王存为人非常宽厚，外表伟岸。平日里非常恭顺，没有偏激的行为。而他所坚持的事情，却从来不让步。平时评论人事，中正平和，无所偏袒。司马光曾说："万马奔腾中能够停下来站住脚的只有王存了。”从成年入仕，到耄耋之年，一生共侍奉过五代皇帝，一直忠贞不改。即使中间屡经变故，但是他却始终如一。

人服雅量

【原文】

王化基为人宽厚，尝知某州，与僚属同坐。有卒过庭下，为化基喏而不及，幕职怒召其卒笞之。化基闻之，笑曰：“我不知其欲得一喏①如此之重也。昔或知之，化基无及此喏。当以与之。”人皆服其雅量。

【注释】

①喏（rě）：古时指出声打招呼。

【译文】

（北宋的）王化基为人宽厚，曾任某州知州。一天，与一起共事的人坐在一起，有一位士兵从院子中经过，王化基招呼他，他没有答应就走开了。管事的人非常生气，用鞭子抽打了那位士兵。王化基听了这件事之后，笑着说：“我没有想到打声招呼有如此严重。之前如果知道这一点，我就不会再去打这个招呼了。”当时的人都非常佩服他的度量。

终不自明

【原文】

高防初为澶州防御使张从恩判官，有军校段洪进盗官木造什物①，从恩怒，欲杀之。洪进给②云：“防使为之。”从恩问防，防即诬伏③，洪进免死。乃以钱十千、马一匹遗④防而遣之。防别去，终不自明，既又以骑追复之。岁余，从恩亲信言防自诬以活人命，从恩惊叹，益加礼重。

【注释】

①什物：日常零碎用品。

②绐（dài）：欺诈，欺骗。

③诬伏：承认了诬陷。

④遗（wèi）：赠送。

【译文】

（北宋初年的）高防当初任澶州防御史张从恩的判官，当时，有一名军校叫段洪进。段洪进偷盗公家的木材做家具，张从恩知道后非常生气，准备杀了他。段洪进欺骗说："这是高防指使我干的。"张从恩向高防求证这件事，高防承认了这件事，段洪进免于一死。于是张从恩拿了一万缗钱、一匹马送给了高防，打发他走了。高防平静地离去，始终没有去辩明自己的冤枉。后来张从恩又派人把高防追了回来。过了一年多，张从恩的亲信说高防自己认罪是为了救段洪进一命。张从恩听后惊叹不已，对高防更加礼待了。

户曹长者

【原文】

长乐陈希颖，至道中为果州户曹。有税官无廉称，同僚虽切齿而不言，独户曹数以大义责之，冀其或悛[1]，已而有他隙。后税官秩满[2]，将行，厅之小吏持其贪墨[3]状于郡曰："行箧[4]若干，各有字号。某字号其箧，皆金也。"郡将盛怒，以其事付户曹，俾阴同其行，则于关门之外，罗致[5]其所状字箧验治之，闻者皆为之恐。户曹受命，不乐曰："夫当其人居官之时不能惩艾[6]，而使遂其奸。今其去者，反以巧吏之言害其长，岂理也哉！"因遣人密晓税官，曰："吾不欲以持讦之言危君事，无当自白，不则早为之所。"税官闻之，乃易置行李，乱其先后之序。既行，户曹与吏候于关外，俾指示其所谓有金者，拘送之官，他悉纵遣之。及造⑦郡庭，启视，则皆衣食也。郡将释然，税官得以无事去。郡人翕然⑧称户曹为长者，而户曹未尝有德色。

【注释】

①冀其或悛（quān）：希望他能悔改。

②秩满：任期结束。

③贪墨：贪污。

④行箧（qiè）：旅行用的箱子。

⑤罗致：搜集。

⑥惩艾（yì）：惩治。

⑦造：到达。

⑧翕（xī）然：一致的样子。

【译文】

长乐陈希颖，北宋至道年间任果州户曹。果州的一个税官有不廉洁的名声，同僚们咬牙切齿地恨他却没有人出来揭发。只有陈希颖用大义道理去开导他，希望他能有所改正，于是，他们之间产生了隔阂。后来，税官任期满，准备离开，他手下的小官吏拿着税官贪污的清单，送给了郡守，说："税官的行李有好几个箱子，都编了序号，而其中的某号箱子里全部是金子。"郡守听后非常生气，把这件事交给户曹陈希颖去办理，让他派人暗中跟踪税官，到关门外面时就根据清单上提到的序号，将那个箱子打开检查并对他进行惩罚。听到的人都非常害怕。陈希颖接受命令时，不高兴地说："当他在任期间不去惩处他，让他犯下了罪，现在他要离开了，反而听从奸巧小官的话，来祸害自己的上司，怎么会有这样的道理呢！"于是派人悄悄告诉税官说："我不想听从别人的坏话来做危害你的事，如果没有这样的事的话，你应该自我辩解，如果有的话，就早一点安排一下。"税官得知后，改变了箱子的编号，打乱了先后顺序。等到启程之后，陈希颖同官吏们在关门外等待，指着那个被称为有金子的箱子，扣留下来送到官府，其他的箱子则全部放行。待将那只箱子搬到郡守面前，打开来看时，里面全是食品还有衣服之类。郡守对此释然，税官得以无事离任。人们都异口同声地称赞陈希颖是一个忠厚的人，而他本人并没有显示出有德于人的神色。

逾年后杖

【原文】

曹侍中彬，为人仁爱多恕。尝知徐州，有吏犯罪，既立案，逾年然后杖之，人皆不晓其旨。彬曰："吾闻此人新娶妇，若杖之，彼其舅姑①必以妇为不利而恶之，朝夕笞骂②，使不能自存。吾故缓其事而法亦不赦也。"其用志如此。

【注释】

①舅姑：公婆。

②笞骂：打骂。

【译文】

（北宋的）曹彬为人仁义慈爱，能宽恕他人。曾任徐州太守，有个官员犯了罪，立案之后，过了一年才杖罚他。别人不明白曹彬这样做的用意，曹彬说："我听说这个人新婚不久，如果当时就立刻处罚他，以后新媳妇的公婆一定会觉得是新媳妇给他家带来的坏运气，然后就会讨厌新媳妇，早晚打骂而让新媳妇难以在那个家生存。所以我故意延缓时间处置他，而又没有违反法规。"他实在是用心良苦。

终不自辩

【原文】

蔡襄尝饮会灵东园，坐客有射矢误中伤人者，客遽指为公矢，京帅喧然①。事既闻，上以问公，公即再拜愧谢②，终不自辩，退亦未尝以语人③。

【注释】

①喧然：议论纷纷的样子。

②愧谢：感到惭愧并道歉。

③语人：告诉别人。

【译文】

蔡襄曾经在会灵东园饮酒，席间，有位坐客射箭误伤了一位游人，坐客赶紧说是蔡襄的箭矢，于是城里一下子都纷纷传开了这件事。皇帝听说后询问蔡襄，蔡襄只是叩头请求原谅，始终没有替自己申辩，回来以后也没有告诉别人。

自择所安

【原文】

张文定公齐贤，以右拾遗为江南转运使。一日家宴，一奴窃银器数事于怀中，文定自帘下熟视①不问。尔后文定晚年为宰相，门下厮役往往皆待班行②，而此奴竟不沾禄。奴乘间③再拜而告曰："某事相公最久，凡后于某者皆得官矣。相公独遗某，何也？"因泣下不止。文定悯然④语曰："我欲不言，尔乃怨我。尔忆江南日盗吾银器数事乎？我怀之三十年不以告人，虽尔亦不知也。吾备位宰相，进退百官，志在激浊扬清，敢以盗贼荐耶？念汝事吾日久，今予汝钱三百千，汝其去吾门下，自择所安。盖吾既发汝平昔⑤之事，汝其有愧于吾而不可复留也。"奴震骇，泣拜而去。

【注释】

①熟视：注目细看。

②待班行：做官。

③乘间（jiàn）：利用机会。

④悯然：忧愁烦闷。

⑤平昔：以前。

【译文】

(北宋的)张齐贤，从右拾遗升为江南转运使。一天举行家宴时，有个仆人偷了一些银器藏在怀中，齐贤在门帘后看到了却没有过问。后来，齐贤晚年任宰相，他家的仆人很多也都做了官，唯独那位仆人竟没有官职俸禄。这个奴仆乘空闲的机会跪在齐贤面前说："我侍候您时间最长，如今比我晚来的人都已经封官，您为什么忘了我呢？"于是哭泣不止。齐贤同情地说："我本来不想说的，但不说你又会怨恨我。你还记得在江南时，你在我的家宴上偷盗银器的事吗？我把这件事藏在心中将近三十年没有告诉过任何人，就算是你自己也不记得了。我现在位居宰相，任免官员，激励贤良，斥退贪官污吏，如何去推荐一个小偷做官呢？看在你在我身边服侍了很长时间的份上，现在给你三十万钱，你离开我这儿，自己选择一个地方安家吧。因为我既然揭发了你这件过去的事，你也必然会有愧于我而无法继续留下。"仆人十分震惊，哭着拜别而去。

称为善士

【原文】

曹州于令仪者，市井人也，长厚不忤物①，晚年家颇丰富。一夕，盗入其家，诸子擒之，乃邻舍子也。令仪曰："尔素寡过②，何苦而盗耶？""迫于贫尔。"问其所欲，曰："得十千足以资衣食。"如其欲与之。既去，复呼之，盗大惧。语之曰："尔贫甚，负十千以归，恐为逻者所诘。"留之至明使去。盗大感愧，卒为良民。邻里称君为善士。君择子侄之秀者，起学室，延名儒以掖③之。子伋，侄杰、效，继登进士第，为曹南令族④。

【注释】

①长厚不忤物：宽厚不得罪人。

②寡过：少有过错。

③掖：扶持，教导。

④令族：有名望的家族。

【译文】

曹州于令仪，本是一个生意人，为人正直，从不损人利己，晚年家境十分富裕。一天晚上有人到他家行盗。于令仪的儿子们抓住了盗贼，原来是邻居的儿子。令仪对他说：“你平日里从来没有做过坏事，为什么要做盗贼呢？”那人回答说：“都是被贫穷所迫。”于是于令仪问他需要什么，盗贼回答说：“如果有一万钱就足以买衣食。”令仪根据他要求的数目给了他。盗贼刚走，令仪又将他叫了回来，盗贼非常惧怕，令仪对他说：“你非常贫穷，晚上却背着一万钱行走，恐怕巡逻的人看到后会盘查你。”于是将他留到了天亮才打发走。盗贼感到非常惭愧，终于成了良民。邻居乡里都称赞令仪是好人。令仪选择子侄中的优秀者，办了学校，请有名望的教书先生来执教。儿子伋，侄子杰、效，陆续考中了进士，于家成为曹州南面一带的望族。

得金不认

【原文】

张知常在上庠日，家以金十两附致于公，同舍生[①]因公之出，发箧[②]而取之。学官集同舍检索[③]，因得其金。公不认，曰：“非吾金也。”同舍生至夜袖以还公，公知其贫，以半遗之。前辈谓公遣人以金，人所能也。仓卒得金不认，人所不能也。

【注释】

①同舍生：同屋住的人。

②发箧：打开箱子。

③检索：搜查。

【译文】

张知常在太学的时候，家里托人带给他十两金子，同住一屋的人见张知常不在，就打开箱子，将金子拿走了。学校的官吏召集同屋的人进行搜查。搜出了金子，张知常却说："这不是我的金子。"同屋的人趁夜把金子放在衣袖中归还了张知常，张知常知道他非常贫困，就送了一半金子给他。前辈们说张知常送人金子，这是一般人可以做到的；但是仓促中得到金子却不认，这是别人所无法做到的。

一言齑粉

【原文】

丁晋公虽险诈，亦有长者之言。仁庙[①]尝怒一朝士，再三语及公，不答，上作色曰："叵耐[②]，问辄不应。"谓徐奏[③]曰："雷霆之下，更加一言，则齑粉[④]矣。"上重答言。

【注释】

①仁庙：指宋仁宗。

②叵（pǒ）耐：不可忍耐，可恨。

③徐奏：慢慢地回答。

④齑（jī）粉：粉末。

【译文】

丁谓虽然奸猾，但是也有过长者的言行。宋仁宗憎恨一位官员，一次又一次地在丁谓面前说起，丁谓都没反应。皇帝变了脸色说："我问你，你却总不回答，真是让人难以忍受。"丁谓慢慢地回答："在您大发雷霆之时，如果我再附和一句，那不就把那位官吏捻成细粉了吗！"皇帝对他的回答十分重视。

无入不自得

【原文】

患难，即理[①]也。随患难之中而为之计，何有不可？文王困羑里[②]而演[③]《易》，若无羑里也。孔子围陈蔡而弦歌，若无陈蔡也。颜子箪食瓢饮而不改其乐，原宪衣敝履穿而声满天地，至夏侯胜居桎梏[④]而谈《尚书》，陆宣公谪忠州而作集，验此无他，若素生患难而安之也！《中庸》曰："君子无入而不自得焉。"其是之谓乎？

【注释】

①理：事物的规律。

②羑（yǒu）里：地名，今河南安阳汤阴县。

③演：推演，推算。

④桎梏（zhì gù）：脚镣手铐，指被关入监狱中。

【译文】

患难，也是人生的常理。身处患难中却可以做自己的事，有什么不可以的呢？周文王被关在羑里时却在演绎《易经》，好像不存在羑里这块地方；孔子被围在陈国和蔡国的时候，却在弹琴唱歌，好像并不存在什么陈国和蔡国；颜回用竹筐吃饭，木瓢饮水，却依然保持快乐；原宪衣衫鞋子破旧，却能够声誉满天下。夏侯胜在监狱中却谈论《尚书》，陆贽被贬到忠州却作诗文集。对照这些，好像他们是一直处在患难的境遇当中，所以能够安之若素。《中庸》说："君子在任何地方都能自得其乐。"上面说的这些贤人就是这样的吧？

不若无愧而死

【原文】

范忠宣公奏疏，乞将吕大防等引赦原放，辞甚恳，至忤大臣章惇，落职知随。公草疏时，或以难回触怒为解，万一远谪[①]，非高年所宜。公曰："我世受国恩，事至于此，无一人为上言者。若上心遂回，所系非小。设有不从，果得罪死，复何憾？"命家人促装以俟谪命。公在随几一年，素苦目疾，忽全失其明，上表乞致仕[②]，章惇戒堂吏不得上，惧公复有指陈，终移上意，遂贬公武安军节度副使，永州安置。命下，公怡然就道[③]。人或谓公为近名，公闻而叹曰："七十之年，两目俱丧。万里之行，岂其欲哉！但区区爱君之心不能自已，人若避好名之嫌，则无为善之路矣。"每诸子怨章惇，忠宣必怒止之。江行赴贬所，舟覆，扶忠宣出，衣尽湿，顾诸子曰："此岂章惇为之哉！"至永州，公之诸子闻韩维少师谪均州，其子告惇以少师执政日与司马公议论多不合，得免行。欲以忠宣与司马公议役法不同为言求归。白公，公曰："吾用君实荐以至宰相，同朝论事不合即可，汝辈以为今日之言不可也。有愧而生，不若无愧而死。"诸子遂止。

【注释】

①谪：贬官，官吏降职，调往边远的地方。

②致仕：古代官员辞职归家。

③就道：上路。

【译文】

范纯仁上书，请求赦免吕大防等人，言辞非常恳切，以至于触怒了大臣章惇，被贬为随州知州。当范纯仁上书之前，就有人说，万一触怒了皇帝被贬斥，对于您这么高的年纪来说，是不适合的呀！范纯仁说："我家世代享受着皇帝的恩惠，如今事情到了这个地步，没有一个人站出来讲话。假如皇帝能改变主意，那样关系很大。如果不同意，我获罪而死，也没有什么好遗憾的。"于是他命令家人打点行装，以待受贬。范纯仁在随州待了将近一年的时间，平日里他的眼睛就有毛病，这时突然全部失明了。于是上表请求退休，章惇告诫府中的官吏不能将这份奏书送上去，担心范纯仁又要借此机会议论朝政，并最后说动皇帝，将范纯仁贬谪为武安军副节度使，在永州安家。贬谪令下来后，范纯仁坦然出发。有人说他是为了一时的好名声，范纯仁听到以后，感叹地说："我年已七十，双目失明。这被贬万里的苦楚，难道是我所希望的吗？但是我爱护君王的心情着实无法克制，人如果想避开沽名钓誉的嫌疑，那就没有做好事的途径。"每次，他的儿子们埋怨章惇时，他都要斥责阻止他们。全家沿着水路赶赴贬所的路上，船翻了，家人扶着范纯仁从水里走出来，全身都湿透了，纯仁对他的儿子们说："这也是章惇做的吗？"到了永州，范纯仁的儿子们听说韩维少师也被贬到均州，其儿子告诉范纯仁，韩少师在执政时，同司马光常常议论政事，但因为经常意见不统一，所以得到了朝廷的赦免。于是也想效仿，称范纯仁也曾不同意司马光的做法，好让他得到赦免，从而可以回去。范纯仁说："我是得到了司马光的推荐，才得以担任宰相，同他一起讨论朝政确实有意见不合的时候，但是翻旧账说出这样委曲求全的话却是不可取的。与其抱愧而生，还不如无愧而死。"于是他的儿子们打消了这个念头。

未尝含怒

【原文】

范忠宣公安置永州，课①儿孙诵书，躬亲教督，常至夜分。在永州三年，怡然自得，或加以横逆，人莫能堪，而公不为动，亦未尝含怒于后也。每对宾客，惟论圣贤修身行己，余及医药方书，他事一语不出口，而气貌益康宁②，如在中州③时。

【注释】

①课：教书讲学。

②康宁：安详宁静。

③中州：河南省古称。

【译文】

范纯仁被流放到永州，教儿孙们读书，亲自监督，常常到夜半时分。在永州三年，怡然自得。有的人对他不尊敬，一般人都无法忍受，而范纯仁始终没有因此而烦恼，也从不在事后怀恨在心。每次和宾客交谈，只是谈论圣贤如何修身养性，其余则谈论医学还有药书，除此之外别的事从不去说。如此，他的气色和外表更为安康宁静，就如同在京城时一样。

谢罪敦睦

【原文】

缪肜[①]少孤，兄弟四人皆同财业，及各人娶妻，诸妇分异，又数有斗争之言。肜深怀忿，乃掩户自挝[②]，曰："缪肜，汝修身谨行，学圣人之法，将以齐整风俗，奈何不能正其家乎？"弟及诸妇闻之，悉叩头谢罪，遂更相敦睦[③]。

【注释】

①缪肜（miào chēn）：字豫公，汝南召陵人。

②挝（zhuā）：敲打。

③敦睦：亲善和睦。

【译文】

缪肜从小父母双亡，兄弟四人一直住在一起。等到各人娶妻，妻子之间多有不和，又多有纷争言语。缪肜非常生气，于是掩上门，自己边打自己边说："缪肜，你自己修身养性，做事谨慎，学习圣人礼法，希望将来可以整顿天下的风俗，却如何没能教育好自己的家人呢？"兄弟妯娌们听到这些话后，纷纷跪下来向他请罪，于是家人之间变得和睦了。

【原文】

虞世南曰："十斗九胜，无一钱利[①]。"

【注释】

①无一钱利：没有一丝好处。

【译文】

虞世南说："打十架，胜九次，也没有一点好处。"

【原文】

韩魏公在政府时，极有难处置事，尝言天下事无有尽如意，须是要忍，不然，不可一日处矣。公言往日同列二三公不相下①，语常至相击。待其气定，每与平②之，以理使归于是，虽胜者亦自然不争也。

【注释】

①不相下：意见不一致。

②平：讨论评理。

【译文】

韩琦在官府时，经常会遇到非常难处理的事。他曾说，世上没有尽如人意的事情，必须忍让，否则就一天也待不下去了。他还说过，从前两三个同僚，相互之间瞧不起，说话相争不下以至于互相攻击。等到他们气消了，他就上前去为他们评理，所有的言行都以公事为宗旨。于是，就算是获胜的人也不再去争了。

【原文】

王沂公尝言：吃得三斗酽醋，方做得宰相。盖①言忍受得事也。

【注释】

①盖：大约。

【译文】

王沂公曾经说过，能喝下三斗醇醋的人，才能够成为宰相。这大概是说要忍受一切事情。

【原文】

赵清献公座右铭：待则甚壹①，任他怎奈何，休理会。

人有不及，可以情恕；非意相干[②]，可以理遣。盛怒中勿答人简[③]，既形纸笔，溢语[④]难收。

【注释】

①壹：言行一致。

②非意相干：意外的无故冒犯。

③简：书信。

④溢语：脱离理性的语言。

【译文】

赵抃的座右铭：对待别人要言行一致，随便他如何去做，不要去理会。别人有做得不好的地方，要从情义的角度宽恕他；并非意气作对，可以用道理去教育他。人在愤怒的时候，不要给人写信，就如同泼出去的水一样难以再收回！

【原文】

程子曰："忿欲忍与不忍，便见[①]有德无德。"

【注释】

①见（xiàn）：显露。

【译文】

程颐说："能不能忍耐愤怒还有欲望，就可以判断出他有德无德。"

【原文】

张思叔绎诟詈[①]仆夫，伊川曰："何不动心忍性？"思叔惭谢。

【注释】

①诟（gòu）詈：辱骂。

【译文】

张绎辱骂赶走仆人，程颐说："为何不能拿这件事来磨炼自己的意志呢？"张绎惭愧地认错。

【原文】

孙伏伽拜御史时，先被内旨[①]而制未出，归卧家，无喜色。顷之[②]，御史造门[③]，子弟惊白，伏伽徐起见之。时人称其有量，以比顾雍。

【注释】

①内旨：皇帝的旨意。

②顷之：不久。

③造门：登门。

【译文】

孙伏伽被任命为御史时，刚开始只是得到皇帝的旨意，而制文却没有批下来。他回家以后睡在床上，没有显露一丝喜色。过了一会儿，有御史登门相告，他的子弟们惊喜地告诉伏伽。伏伽慢慢地起来，去会见使者。当时的人们都称赞孙伏伽有度量，把他比作三国时的孙吴的丞相顾雍。

【原文】

白居易曰："恶言[①]不出于口，忿言[②]不反于出。"

【注释】

①恶言：恶毒的言论。

②忿言：愤怒的言论。

【译文】

白居易说："伤害别人的话不能说，就不会招致他人愤怒的抨击。"

【原文】

《吕氏童蒙训》云："当官处事，务合人情。忠、恕违道不远，未有舍此二字而能有济[①]者。前辈当官处事，常思有恩以及人，而以方便为上。如差科[②]之行，既不能免，即就其闲，求所以便民省力者，不使骚扰重为民害。其益多矣。"

【注释】

①济：成功。

②差（chāi）科：差役和赋税。

【译文】

《吕氏童蒙训》说："当官处事，一定要符合人情。忠恕与道德接近，没有放弃忠恕两字而能做成事情的。前辈在做事的时候，常常考虑让别人受到恩惠，而以给人带来方便为好办法。比如派差收租，这件事既然无法避免，那么就在其中力求让老百姓方便省力，不要频繁麻烦百姓，不要让百姓的负担太重，这样做的好处非常多。"

【原文】

张无垢云："快意事[1]孰不喜为？往往事过不能无悔者。于他人有甚不快存焉，岂得[2]不动于心？君子所以隐忍详复[3]，不敢轻易者，以彼此两得也。"

【注释】

①快意事：痛快的事情。

②岂得：怎么能。

③详复：仔细思考。

【译文】

张无垢说："痛快的事情谁不喜欢做呢？但是事情过去以后自己常常会后悔，如果对其他人存有不愉快的话，事后怎么能没有反应呢？君子之所以再三容忍，不敢轻易发作，就是考虑到让彼此都能满意。"

【原文】

或问张无垢："仓卒中、患难中处事不乱，是其才耶？是其识耶？"先生曰："未必才识了得，必其胸中器局[1]不凡，素有定力。不然，恐胸中先乱，何以临事？古人平日欲涵养器局者，此也。"

【注释】

①器局：气度。

【译文】

有人问张无垢："仓促之中和处在危难之时，却可以有条不紊地处理事情，这属于才能呢，还是胆识呢？”张无垢回答说：“这恐怕不是才能以及胆识所能够做到的，一定是他气量过人，本来就有稳定不乱的素质。不然的话，恐怕自己的心中先乱了，怎么还能去很好地处理事情呢？古代的人平日里修养自己的度量与情操，就是这个道理。”

【原文】

苏子曰：“高帝之所以胜，项籍之所以败，在能忍与不能忍之间而已。项籍不能忍，是以百战百胜而轻用其锋①；高祖忍之，养其全锋②而待其弊。”

【注释】

①轻用其锋：轻率地使用他的锋芒。

②养其全锋：养精蓄锐。

【译文】

苏轼说：“汉高祖刘邦之所以能够获胜，项羽之所以最终失败，最大的区别就在于能忍与不能忍。项羽不能忍耐，所以百战百胜以后而轻举妄动；刘邦能够忍耐，养精蓄锐，磨砺锋芒，等待着项羽的弊病出现。”

【原文】

孝友先生朱仁轨：隐居养亲①，常诲子弟曰：“终身让路，不枉②百步；终身让畔③，不失一段。”

【注释】

①养亲：侍奉父母。

②不枉：不过是冤枉。

③让畔：给别人让出地界。

【译文】

孝友先生朱仁轨：他隐居乡下，侍奉父母，常常教导子弟说：“一生都给别人让路，不过冤枉了几百步路；一辈子给别人让地界，不会失去一块田地。”

【原文】

吴凑：僚史[1]非大过不榜责，召至廷诘，厚去之[2]。其下传相训勉，举无稽事。

【注释】

①僚史：属下官员。

②厚去之：赠予厚礼辞退。

【译文】

吴凑：下属没有大过错，从不张榜斥责。把僚属召到厅堂上追问明白后，会送给他一笔厚礼，让他离开。他的下属都互相告诫勉励，再也没出现过违法行为。

【原文】

《韩魏公语录》曰："欲成大节，不免小忍[1]。"

【注释】

①小忍：在小事上忍让。

【译文】

《韩魏公语录》说："想培养自己高尚的节操，就要在小事上忍让。"

【原文】

《和靖语录》：人有忿争者，和靖尹公曰："莫大之祸，起于须臾之不忍，不可不谨。"

【译文】

《和靖语录》："人们都有愤怒相争的时候，尹焞（和靖）说：'弥天大祸，缘于一时的不忍让，不可以不谨慎呀！'"

【原文】

省心子曰："屈己[1]者能处众。"

【注释】

①屈己：委屈自己。

【译文】

省心子说："可以委屈自己的人，就可以与其他人融洽相处。"

【原文】

《童蒙训》当官以忍为先："忍之一字，众妙之门[①]，当官处事，尤是先务[②]。若能清勤[③]之外，更行一忍，何事不办？"

【注释】

①众妙之门：一切微妙的总门。

②先务：首要之务。

③清勤：清廉勤勉。

【译文】

《吕氏童蒙训》认为当官应该以忍为先："一个'忍'字是一切好处的关键所在，当官处理事情，最为重要的就是要重视'忍'。如果在保持廉洁勤劳之外，又能够忍让，什么事情办不成呢？"

【原文】

当官不能自忍[①]必败[②]。当官处事，不与人争利者，常得利多；退一步者，常进百步。取之廉者，得之常过其初[③]；约[④]于今者，必有重报于后。不可不思也。惟不能少自忍者，必败，此实未知利害之分、贤愚之别也。

【注释】

①自忍：自我忍耐。

②败：失败。

③常过其初：经常超过其最开始期望得到的数量。

④约：克制。

【译文】

当官不能自我忍耐，一定会失败。做官的人处理事情，如果不和别人争夺利益，那么得到的利益就会更多；能够首先退一步的，常常能够进一百步。不求多得，所得到的利益，往往超过当初所想要的；现下克制的人，将来必然会有丰厚的回报。不能不认真考虑啊！只有那些不能自我忍耐的，一定会失败，这实际上是不知道利害的不同和聪明愚笨的区别呀！

【原文】

戒暴怒。当官者先以暴怒为戒，事有不可，当详处之，必无不中[1]。若先暴怒，只能自害，岂能害人？前辈尝言：凡事只怕待。待者，详处之谓也。盖详处之，则思虑自出，人不能中伤。

【注释】

①中：得当。

【译文】

戒除暴怒。当官的人，首先应该戒除暴怒。事情无法办理的时候，应该慎重周详地处理，没有处理不好的。如果一开始就发怒，只能害了自己，怎么会害到别人呢？前辈曾经说过：处理任何事时，只怕一个“待”字，待，就是指延迟事情以便周详慎重。如果周详慎重地处理，就一定能够想出合适的办法，别人也就无法陷害中伤你了。

【原文】

《师友杂记》云：“或问荥阳公[1]，为小人所詈辱[2]，当何以处之？”公曰：“上焉者，知人与己本一[3]，何者为詈，何者为辱？自然无忿怒心。下焉者，且自思曰：我是何等人，彼为何等人？若是答他，却与他一等也。以此自处，忿心亦自消也。”

【注释】

①荥（xíng）阳公：吕希哲，宋朝吕本中的祖父。

②詈辱：辱骂，侮辱。

③本一：本质上是一样的。

【译文】

《师友杂记》载：“有人问荥阳公，被小人所辱骂，应该如何去对待他。”他说：“上策是，明白别人与自己本来都是人，什么叫骂，什么叫辱，自然就没有愤怒的心情了。下策是，自己想一想，我是什么人，他是什么人，如果要回应他，那不就成了和他一样的人了吗？用这个办法来克制自己，气愤的心情也就可以消除了。”

【原文】

唐充之云：“前辈说后生不能忍诟[1]，不足为人；闻人密论不能容受而轻泄之者，不足以为人。”

【注释】

①忍诟：容忍屈辱。

【译文】

唐充之说：“前辈人觉得年轻人无法忍辱负重，就不能成为完善的人；听到别人私下交谈而无法容忍保密，轻易泄露给他人，也不能称为完善的人。”

【原文】

《袁氏世范》曰：“人言‘居家久和者，本于能忍’。然知忍而不知处忍之道，其失尤多。盖忍或有藏蓄之意，人之犯我，藏蓄而不发，不过一再而已。积之既多，其发也如洪流之决，不可遏矣。不若随而解之，不置胸次[1]，曰此其不思尔，曰此其无知尔，曰此其失误尔，曰此其所见者小尔，曰此其利害宁几何？不使之入于吾心。虽日犯我者十数，亦不至形于言而见于色，然后见忍之功效为甚大，此所谓善处忍者。”

【注释】

①胸次：心里。

【译文】

《袁氏世范》说：“人们常说，‘家庭可以长久和睦的，其根本做法就是能够容忍’。但是仅仅知道忍却不知道该如何去忍，其失误就会更多。同样是忍，有隐藏和积累的意思，别人触犯我，我就将愤怒藏起来不说，这样做只不过能避免一两次而已。如果积累的愤怒越来越多，那么一旦暴发起来，就如同洪水决堤一样，难以阻挡了。如此的话，还不如及时消解，不留在心中。可以说这人是无心的，说这个人无知，说这估计是他弄错了，说他只看到了小利，说这有多大利害关系呢？不将那个人放在自己的心中，就算他一天冒犯我十数次，我也不会在言语上表现出气愤，在神色间流露出不快，如此一来，忍的效果才明显。这就是人们所说的善于忍耐。”

处家贵宽容

【原文】

自古人伦贤否①相杂，或父子不能皆贤，或兄弟不能皆令②，或夫流荡，或妻悍暴，少有一家之中无此患者，虽圣贤亦无如之何。譬如身有疮痍疣赘③，虽甚可恶，不可决去，惟当宽怀处之。若人能知此理，则胸中泰然矣。古人所谓父子兄弟夫妇之间，人所难言者，如此。

【注释】

①贤否（pǐ）：好坏。

②令：美好。

③疣赘（yóu zhuì）：皮肤上长出来的瘊子。

【译文】

自古以来，人类就是贤人与愚人混杂在一起的，有的父亲与儿子不能都贤良，有的兄弟们也不能都成为人才，有的丈夫在外游荡，有的妻子凶悍，很少有哪一个家庭中不存在这种毛病的。就算是圣贤的人，对这样的情况也是无可奈何。这就像是身上长了疮疣，虽然看起来非常可恶，但总不能直接割掉，唯有放宽了心思面对。如果人们都可以明白这层道理，那么胸中就坦然了。这便是古人所说的父子、兄弟、夫妇之间，人们难以说清的事。

忧患当明理顺受

【原文】

人生世间，自有知识①以来，即有忧患不如意事。小儿叫号，皆其意有不平。自幼至少，自壮至老，如意之事常少，不如意之事常多。虽大富贵之人，天下之所仰羡以为神仙，而其不如意处，各自有之，与贫贱人无异，特②所忧虑之事异耳，故谓之缺陷世界。以人生世间无足心满意者，能达此理而顺受之，则可少③安矣。

【注释】

①知识：辨识事物的能力。

②特：只不过。

③少：同“稍”，稍微。

【译文】

人生在世间，自从有了意识和智慧以后，就有了忧虑和不如意的事。小孩也会哭叫，就是因为感到不如意。从幼年到少年，从壮年到老年，如意的事情总是很少，不如意的事情总是很多。就算是大富大贵的人，天下人仰慕他们，如同对待神仙一般，但是不如意的事他们也有，和贫贱的人没有什么区别，只不过彼此之间所忧虑的事情不一样罢了。所以说世界本来是有缺陷的。理解人生在世不可能事事都顺心如意，能够理解这个道理而坦然接受，就能够心安了。

同居相处贵宽

【原文】

同居之人有不贤者，非理以相扰，若间或一再，尚可与辩；至于百无一是，且朝夕以此相临，极为难处。同乡及同官，亦或①有此。当宽其怀抱，以无可奈何处之。

【注释】

①或：偶尔。

【译文】

如果住在一起的人当中有不贤良的，不讲道理随意去骚扰别人，若偶尔的一次两次，还可以与他讲一讲道理；若他完全无理取闹，蛮横无理，并且朝夕以此来侵扰，实在是很难与他相处的。不管是同乡还是一起共事的人，都会存在这样的人，所以应该自己放宽心怀，不和他们计较，用无可奈何的态度去对待他们。

亲戚不可失欢

【原文】

骨肉之失欢，有本于至微，而终至于不可解者，有能先下气①，则彼此酬复②，遂如平时矣。宜深思之。

【注释】

①下气：说话的态度卑下恭顺。

②酬复：应对，应答。

【译文】

亲人之间失去友爱，很多时候仅仅是缘于一些很小的事情，最终却造成了难以调和的矛盾。有的家庭其中一方可以先忍耐低头主动放低姿态，就能够重新相互往来，就可以如当初一样友好和睦了。这个道理一定要认真思考。

待婢仆当宽恕

【原文】

奴仆小人①就役于人②者，天资多愚，宜宽以处之，多其教诲，省③其嗔怒可也。

【注释】

①小人：平民百姓。

②就役于人：在别人家做杂役。

③省：减少。

【译文】

奴仆之所以被别人差使，是由于他们的天资大多都不太高，因此要对他们宽厚一些，多讲些道理，少对他们发脾气，这样才好。

事贵能忍耐

【原文】

人能忍事，易以习熟，终至于人以非理相加不可忍者，亦处之如常。不能忍事，亦易以习熟，终至于睚眦[①]之怨，深不足较者，亦至交詈[②]争讼，期以取胜而后已，不知其所失甚多。人能有定见，不为客气[③]所使，则身心岂不大安宁？

《萧朝散家法》曰：“常持忍字免灾殃。”

【注释】

①睚眦（yá zì）：非常小的怨恨。

②交詈：相互责骂。

③客气：一时的意气。

【译文】

平时可以忍让的人，容易习惯成自然，最后当面对那些不讲道理以至于让人无法容忍的人时，也像平常一样与他相处。如果平日里就不能忍让，也容易习惯成自然，最后就算是遇到了很小的事情，在别人眼里看起来不值得计较的事情，也会争执吵骂，非得争出胜负才行，但却并不自知，如此一来，失去的会更多。人如果有坚定的主见，不被气愤所驱使，那么身心岂不就会获得安宁吗？

《萧朝散家法》说："经常认准一个'忍'字，就可以免除灾祸。"

王龙舒劝诫

【原文】

喜怒、好恶、嗜欲①，皆情也。养情为恶，纵情为贼，折情②为善，灭情为圣。甘其饮食，美其衣服，大其居处，若此之类，是谓养情；饮食若流，衣服尽饰，居处无厌③，是谓纵情。犯之不校，触之不怒，伤之不忍，过事堪喜，是谓折情。

【注释】

①嗜欲：追求感官上的享受。

②折情：压抑情感。

③无厌：不满足。

【译文】

开心愤怒、喜欢厌恶、爱好欲求，都是因为情感而产生的。培养情欲是作恶，放纵情欲是为贼，控制情欲是向善，断绝情欲便是圣人。享用可口的食物，穿着华美的衣服，住宽大的房屋，像这些，都是在培养自己情感的行动；饮食方面的花费就像流水，衣服追求华丽，对住房的讲究过分追求，这些都是在放纵自己的情欲。别人触犯自己而不计较，冲撞自己而不愤怒，伤害了自己也不去报复，别人指出自己的过错觉得开心，这都是在约束自己的感情。

【原文】

张文定公曰："谨言浑不畏，忍事又何妨？"

【译文】

张齐贤说："言语谨慎就能无所畏惧，忍耐一些事情又有什么妨碍呢？"

【原文】

孔旻曰："盛怒剧炎热，焚和徒自伤。触来勿与竞，事过心清凉。"

【译文】

孔旻说："极度的愤怒就像烈火，烧掉了和气又伤害了自己。别人的无理触犯不要与之争斗，事情过去以后心情自然就会平静。"

【原文】

山谷诗曰："无人明此心，忍垢待濯盥。"

【译文】

黄庭坚诗说："没有人知道我的心思，忍垢受辱要靠修养清洗。"

【原文】

东莱吕先生诗云："忍穷有味知诗进，处事无心觉累轻。"

【译文】

东莱吕本中先生诗中说："忍耐贫困非常有意思，可以有益于诗歌创作；处理事情不太计较，就会觉得心里轻松了很多。"

【原文】

陆放翁诗云："忿欲至前能小忍，人人券内①有期颐。"

【注释】

①券内：分内，指命运之中。

【译文】

陆游诗中说："在愤怒与欲望产生前稍微地忍耐一下，每个人都能够长命百岁。"

【原文】

又曰："殴攘虽快心①，少忍理则长。"

【注释】

①快心：心情愉快。

【译文】

陆游又说："打一架虽然一时痛快，但是能稍微忍让一下就更有理了。"

【原文】

又曰："小忍便无事，力行方有功。"

【译文】

陆游又说："稍微忍让一下就没有事情了，这个道理非得亲自实践才能见成效。"

【原文】

省心子曰："诚无悔，怒无怨，和[1]无仇，忍无辱。"

【注释】

①和：和气，谦和。

【译文】

省心子说："诚实就不会后悔，宽容就不会招埋怨，和气就不会结仇，忍让就不会受侮辱。"

【原文】

释迦佛初在山中修行，时国王出猎，问兽所在。若实告之则害兽，不实告之则妄语[1]，沉吟未对，国王怒，斫[2]去一臂。又问，亦沉吟，又斫去一臂。乃发愿[3]云："我作佛时，先度此人，不使天下人效彼为恶。"存心如此，安得不为佛？后出世果成佛，先度憍陈如[4]者，乃当时国王也。

【注释】

①妄语：虚妄的假话。

②斫（zhuó）：砍。

③发愿：发起誓愿。

④憍陈如：阿若憍陈如尊者，是佛教最初五比丘之一，是第一位证得罗汉果的阿罗汉，为"五百罗汉"首位。

【译文】

释迦牟尼当初在山中修行的时候，遇上国王外出打猎，国王问释迦牟尼哪个地方有野兽。如果如实相告，就会害死野兽；如不如实相告，就成了说假话。于是他沉默着没有回答，国王发了怒，砍掉了他的一条胳膊。再问，他依旧沉默，于是国王又下令砍掉了他的另一条胳膊。释迦牟尼于是发下誓愿："等我成佛以后，一定要先来感化这个人，不能让天下的人都跟着他做坏事。"他既然存有这样的善心宏愿，怎么能不成佛呢？后来释伽出世成佛，最先超度的憍陈如就是当时的国王。

【原文】

佛曰："我得无诤三昧①，人中最为第一。"

【注释】

①无诤三昧：三思而行的方法。

【译文】

释迦牟尼说："我得到了'无诤'的真髓，可以说是人世间最重要的。"

【原文】

又曰："六度万行，忍为第一。"

【译文】

又说："六种法门、天教行为中，忍让排在第一位。"

【原文】

又曰：忍辱波罗蜜。

【译文】

又说：忍辱是修行法门。

【原文】

《涅槃经》云：昔有一人，赞佛为大福德，相闻者，乃大怒，曰："生才七日，母便命终，何者为大福德？"相赞者曰："年志俱盛而不卒①，暴打而不嗔，骂亦不报，非大福德相乎？"怒者心服。

【注释】

①卒：同"猝"，急躁。

【译文】

《涅槃经》记载："曾经有一个人，称赞佛是大福德之人。听到这句话的人非常愤怒，说：'佛的母亲生下佛，七天以后便去世了，怎么能说是大福德呢？'赞佛的人回答说：'佛的年龄和思想都处在鼎盛的时候却不急躁，挨了打却不发怒，别人骂他也不生气，这难道不叫大福德吗？'愤怒的人心服了。"

【原文】

《人趣经》云："为人端正，颜色洁白，姿容第一，从忍辱中来。"

【译文】

《人趣经》说："做人品行端正，身体干净洁白，姿容美好，这些都要从忍让中才能得到。"

【原文】

《朝天忏》曰："为人富贵昌炽者，从忍辱中来。"

【译文】

《朝天忏》说："那些富贵昌盛的人，都有过忍受屈辱的经历。"

【原文】

紫虚元君曰："饶、饶、饶，万祸千灾一旦消，忍、忍、忍，债主冤家从此尽。"

【译文】

紫虚元君说："饶恕、饶恕、饶恕，千灾万祸就会马上消失；忍耐、忍耐、忍耐，从此就没有冤家和债主了。"

【原文】

赤松子诫曰："忍则无辱。"

【译文】

赤松子告诫说："忍让就不会受到侮辱。"

【原文】

许真君诫曰："忍难忍事，顺自强人。"

【译文】

许真君说过：“忍受难以容忍的事，顺从自然就能够比别人强。”

【原文】

孙真人曰：“忍则百恶自灭，省则祸不及身。”

【译文】

孙真人说：“忍耐可以让灾祸自己消灭，反省自己，祸事就会自动远离。”

【原文】

超然居士曰：“逆境当顺受。”

【译文】

超然居士说：“人处在困境的时候，应该尽力忍受，就像平时一样。”

【原文】

谚曰：“忍事敌灾星。”

【译文】

谚语说：“忍让可以对付灾难。”

【原文】

谚曰：“凡事得忍且忍，饶人不是痴汉，痴汉不会饶人。”

【译文】

谚语说：“应该忍让的时候就要忍让，善于忍让的人不是愚笨的人，愚笨的人是不懂忍让的。”

【原文】

谚曰：“得忍且忍，得诫且诫。不忍不诫，小事成大。”

【译文】

谚语说：“应该忍让的时候就要忍让，应该克制的时候就要克制。不忍让不克制，小事就会变成大事。”

【原文】

谚曰：“不哑不聋，不做大家翁。”

【译文】

谚语说："不能装聋作哑的人，成不了大家庭的主人。"

【原文】

谚曰："刀疮易受，恶语难消。"

【译文】

谚语说："被刀砍伤还比较好忍受，但是恶语伤人很难消解。"

【原文】

少陵诗曰："忍过事堪喜。"此皆切于事理，为世大法，非空言也。

【译文】

杜牧诗说："如果可以忍让一下事情就过去了，就能心境平和、心生喜悦。"这很符合人情事理，人们将此作为行为的准则，绝对不是空话。

【原文】

《莫争打》诗曰："时闲忿怒便行拳，招引官方在眼前。下狱戴枷遭责罚，更须枉费几文钱。"

【译文】

《莫争打》诗说："闲暇的时候一生气便抡拳打架，立即就会招引官府来管制。关进监狱戴上枷锁遭受责罚，还要冤枉花费金钱。"

【原文】

《误触人脚》诗云："触了行人脚后跟，告言得罪我当烹。此方引慝[①]丘山重，彼却原情[②]羽发轻。"

【注释】

①引慝（tè）：引咎自责。

②原情：原谅。

【译文】

《误触人脚》诗说："碰了走路人的脚后跟，应当告诉他

‘得罪了’，并说‘我真该死’。你这一边把罪过说得重如大山，他那一边一定会把你的过错看得轻如鸿毛。”

【原文】

《莫应对》诗云：“人来骂我逞无明，我若还他便斗争。听似不闻休应对，一支莲在火中生。”

【译文】

《莫应对》诗说：“别人莫名其妙地骂我，我如果骂回去必然会引起吵嘴打架。听到了却装作没有听见也不回嘴，一朵吉祥的莲花由此生于烈火之中。”

【原文】

杜牧之《题乌江庙诗》：“胜负兵家不可期，包羞忍辱是男儿。江东子弟多豪杰，卷土重来未可知。”

【译文】

杜牧《题乌江庙诗》称：“兵家打仗胜负难以预料，暂时蒙羞忍辱才是真正的男子汉。江东的子弟中有很多豪杰，卷土重来也说不定。”

【原文】

《诫断指诗》曰：“冤屈休断指①，断了终身耻。忍耐一些时，过后思之喜②。”

【注释】

①断指：自残以泄愤。

②思之喜：回想当初隐忍克制的做法觉得庆幸。

【译文】

《诫断指诗》称：“受了冤屈千万不要自斩手指，手指断了一生都是耻辱。忍耐一段时间，事情过去以后回想当初隐忍克制的做法会觉得庆幸。”

【原文】

何提刑《戒争地诗》：“他侵我界是无良，我与他争未是长。布施与他三尺地，休夸谁弱又谁强。”

【译文】

何提刑作《戒争地诗》说："他人侵占了我的地界确实不对，但是我如果与他争斗也是不对的。不如就施舍给他三尺地盘，也不要去比谁弱谁强了。"

【原文】

尚书杨玢致仕归长安，旧居多为邻里侵占，子弟欲诣府诉其事，杨玢批状尾云："四邻侵我我从伊，毕竟思量未有时。试上含元殿基看，秋风秋草正离离。"子弟不敢复言。

【译文】

尚书杨玢致仕回到长安时，家里的房子多被邻居们侵占了。他的子侄们想要去状告这些人。杨玢在状纸的末尾写道："四邻侵我我从伊，毕竟思量未有时。试上含元殿基看，秋风秋草正离离。"子侄们看过后，都不敢再说这件事儿了。

劝忍百箴

序一

予读唐史，见高宗幸驾张公艺家，问其九世不分之状，书“忍”字百余以对，于是兴感。嗟乎！人为血气所使，至于凶于而身害于而家何限[①]。昔成王之命君陈曰：“必有忍其乃有济[②]，有容德乃大。”孔子曰：“小不忍则乱大谋。”叔孙豹之憾季孙，其御者曰：“鲁以相忍为国[③]。”赵襄子曰：“以能忍耻庶无害赵宗乎！”驭吏醉污丞相车茵当斥，丙吉曰：“西曹第忍之。”柳玭《家训》曰：“肥家以忍顺。”杜牧之《遣兴诗》曰：“忍过事堪喜。”司空图曰：“忍字敌灾星。”《说苑丛谈》云：“能忍耻者安，能忍辱者存。”吕存仁亦云：“‘忍诟’二字，古之格言，学者可以详思而致力。”然则“忍”之一字，自宰相至于士庶，人皆当以此为药石。予自壮至老，以贱且贫，故受侮于人屡矣。复思前哲有“德量自隐忍中大”之语，益自勉励，逆来顺受，不与物竞，因作《劝忍百箴》，愿与天下共之。每箴皆事为之句，入经出史，各有考据。公卿大夫四民十等，家置一本，朝夕看阅，亦足少补德量之万一。毋忽幸甚！

时至大三年良月吉旦四明梓碧山人许名奎叙。

【注释】

①何限：多少。

②济：成事。

③为国：立国。

【译文】

我读唐史，看到唐高宗临幸张公艺家，问他家九代同堂不分家的情况，张公艺写了一百多个“忍”字来回答，对此我深有感触。唉，人受气血驱使容易做出很多不太好的事情，因为这样，家庭不和睦伤害家人的事情数不胜数。当年，周成王曾经告诫君陈：“一定要容忍才可以办成事情，能够容忍，品德才可以变得高尚。”孔子说过：“在小的事情上不能忍让，就会破坏大事情的计划。”叔孙豹非常憎恨季孙宿，他的车夫说：“鲁国以相互忍让来治理国家。”赵襄子说：“我能够忍受屈辱，但愿这样不会对我们赵家有什么危害。”车夫因为喝醉酒而吐脏了丞相丙吉车里的垫子，应当被斥责，丙吉说：“西曹且忍一忍。”柳玭《家训》里讲道：“想要家庭富裕就必须忍耐顺受。”杜牧《遣兴诗》里说过：“如果可以忍受不能忍受的屈辱的话，就可以心境平和并心生喜悦。”司空图说：“忍让能够对付灾难。”《说苑丛谈》里说：“可以忍受耻辱的人能够获得安全，可以忍受侮辱的人能够得以保全。”吕本中也说过：“‘忍诟’这两个字，是古老的智慧格言，学者应该用心去体会同时努力去践行。”既然这样，一个简单的“忍”字，上到宰相下到百姓，每个人都应该把它看成医治疾病的良药。我从年轻的时候一直到年老，由于低贱贫穷遭受过很多的侮辱。想想古人有“德量是经过隐忍而逐渐变强大”的话，就会进行自我勉励，逆来顺受不和别人争高低，并因此而写下了《劝忍百箴》，希望能与天下人共勉。每篇箴言都是以事情为主，例子都来源于经史典籍，各有其出处。公卿大夫，士农工商，十等子民，每个人家里都买上一本，早晚翻看阅读，也能够多多少少有助于德量的增益。如果可以予以重视，我就会觉得十分欣慰了。

时至大三年（1310）十月初一四明梓碧山人许名奎叙。

卷一

言之忍第一

【原文】

恂恂[①]，便便[②]，侃侃[③]，訚訚[④]，忠信笃敬，盍书诸绅？讷为君子，寡为吉人。乱之所生也，则言语以为阶；口三五之门，祸由此来。《书》有起羞之戒，《诗》有出言之悔，天有卷舌之星，人有缄口之铭。白珪之玷尚可磨，斯言之玷不可为。齿颊一动，千驷莫追。噫，可不忍欤？

【注释】

①恂恂：诚实不欺，温顺。

②便（pián）便：明白晓畅。

③侃侃：温和，正直。

④訚（yín）訚：恭敬，和颜悦色。

【译文】

（孔子在本乡的地方上说话）诚实不欺，（在宗庙朝堂上说话）明白流畅，（上朝的时候同下大夫说话）和颜悦色，（与上大夫说话）恭敬正直，我们为什么不把（孔子告诫子张的话）“忠信笃敬”写于衣服的带子上（可以随时看到它，来让内心受到警戒呢）？君子常常言语迟钝，善良的人很少说话。大多数祸乱的发生，都是由于语言不当而引起的。嘴里常讲日、月、星辰，宣传五行，但也常常因此而致祸。《尚书》中有言语导致羞辱的告诫。《诗经》中告诫人们说话要谨慎，莫因话出口而后悔。天上有卷舌星，用来警诫说坏话和花言巧语的人，人间有三缄其口的铭文。如果白玉上有瑕疵，还能够通过打磨来让它完美，但是一个人言语如果有失误，就四千匹马都追不回了。唉，难道不该隐忍吗？

气之忍第二

【原文】

燥万物者，莫熯①乎火；挠万物者，莫疾乎风。风与火值②，扇炎起凶。气动其心，亦蹶亦趋，为风为大，如鞴③鼓炉。养之则为君子，暴之则为匹夫。一朝之忿④，忘其身以及其亲，非惑与？噫，可不忍欤？

【注释】

①熯（hàn）：热，干燥。

②值：相遇。

③鞴(bài)：皮囊，这里指古代的一种鼓风器。

④一朝之忿：偶然的愤怒。

【译文】

没有什么比火更可以让万物干燥了，没有什么比风更能吹动万物了。如果风与火相遇，风助火势，就能引起难以预料的凶祸。气可以动人心志，能够让人跌倒，能够让人奔走。气就像风火一般，如果不培养自己的浩然之气，则会损害自己，这就像用皮囊向火炉鼓风，越鼓火就越旺。所以说，如果培养浩然正气就能成为君子，如果放纵自己就会变成凡夫俗子。由于一时的怒气，就忘记了自己和父母，这不是很糊涂吗？唉，难道不该隐忍吗？

色之忍第三

【原文】

桀之亡，以妹喜；幽之灭，以褒姒。晋之乱，以骊姬；吴之祸，以西施。汉成溺以飞燕，披香有“祸水”之讥。唐祚中绝于昭仪，天宝召寇于贵妃。陈侯宣淫于夏氏之室，宋督目逆于孔父之妻，败国亡家之事，常与女色以相随。伐性斤斧，皓齿蛾眉；毒药猛兽，越女齐姬。枚生此言，可为世师。噫，可不忍欤？

【译文】

夏王桀由于宠爱妹喜而导致了夏朝的覆灭；周幽王因为宠爱褒姒，最终导致亡国。晋国由于骊姬而五世大乱，吴国因为西施而惹来祸患。汉成帝喜欢能歌善舞的赵飞燕，披香殿学士淖方成讥之为红颜祸水。李唐王朝因为武则天而中道改路，唐玄宗宠爱杨贵妃而引发安史之乱。陈灵公因公开与大臣的妻子夏姬私通，惹下杀身之祸；宋太宰华父督觊觎孔父嘉的妻子，最后华父督夺人之妻又反遭人杀。历史上倾家败国的事情，大多是女色招致的祸乱。皓齿蛾眉，是砍伐性命的斧子；越女齐姬就像毒药和猛兽。枚乘的这段话，可以作为后世的警言。唉，难道不该隐忍吗？

酒之忍第四

【原文】

禹恶旨酒，仪狄见疏。周诰刚制，群饮必诛。窟室夜饮，杀郑大夫。勿夸鲸吸①，甘为酒徒。布烂覆瓿②，箴规凛然；糟肉堪久，狂夫之言。司马受竖榖之爱，适以为害；灌夫骂田蚡之坐，自贻其祸。噫，可不忍欤？

【注释】

①鲸吸：像鲸鱼吸水一样豪饮。

②覆瓿（bù）：古代的一种小瓮。

【译文】

禹在位时领悟到美酒易误国，于是厌恶美酒而疏远了会酿酒的仪狄。周人发布《酒诰》禁止饮酒，如有人聚众饮酒就全部处斩。郑国伯有嗜酒如命，并有地窖专供夜里饮酒，最后被人杀死。人不要像大海中鲸鱼吞吸百川的水一样，甘愿成为酒徒。王导规劝说，盖酒坛的布，时间长了就会腐烂，孔群诡辩说："肉用酒糟腌了保存的时间更长。"这样的回答，真是狂言。春秋时楚恭王与晋厉公在鄢陵交战，司马子反口干想喝水，仆人穀阳竖为表示尊敬将水换成了酒，结果司马醉卧不起，贻误了军情，终被斩首；西汉的灌夫因饮酒过量，在丞相田蚡的婚礼上大骂田蚡，惹祸上身，连帮他辩解的窦婴也一起被杀。唉，难道不该忍耐吗？

声之忍第五

【原文】

恶声不听，清矣伯夷；郑声之放[①]，圣矣仲尼。文侯不好古乐，而好郑卫；明皇不好奏琴，乃取羯鼓[②]以解秽。虽二君之皆然，终贻笑于后世。霓裳羽衣之舞，玉树后庭之曲，匪乐实悲，匪笑实哭。身享富贵，无所用心；买妓教歌，日费万金；妖曲未终，死期已临。噫，可不忍欤？

【注释】

①放：排斥。

②羯（jié）鼓：古代的一种乐器，据说来源于羯族。

【译文】

不听世俗之声，是清高的圣人伯夷；排斥郑国音乐，是圣人孔子。魏文侯不喜欢听先王雅乐，却对郑国、卫国的音乐十分喜欢；唐玄宗不喜欢听琴声，却喜欢听夷狄的羯鼓声，以此淫乐。这二位君主虽然不喜欢圣哲先王的雅乐，却喜爱市井俗乐，成了后世的笑柄。唐明皇的霓裳羽衣曲，陈后主的玉树后庭花，实在不是音乐，而是悲歌，都是一时的欢笑变成了永久的哭泣。晋代的石崇堪称富豪，却挥霍无度不思进取，耗费巨资找歌姬唱歌跳舞，妖曲未尽，死期已到，还连累了家人。唉，难道不该忍耐吗？

食之忍第六

【原文】

饮食，人之大欲，未得饮食之正者，以饥渴之害于口腹。人能无以口腹之害为心害，则可以立身而远辱。鼋羹①染指，子公祸速；羊羹不遍，华元败衄②。觅炙不与，乞食目痴，刘毅未贵，罗友不羁。舍尔灵龟，观我朵颐。饮食之人，则人贱之。噫，可不忍欤？

【注释】

①鼋（yuán）羹：大鳖做的肉汤。

②败衄（nù）：扭伤。

【译文】

饮食是人最大的欲望，大多数人没有得到饮食的正道，是由于饥渴干扰了口腹的真实感受。人如果可以不被饮食而影响内心的话，就可以立身并远离耻辱。楚人送了一只老鳖给郑灵公，郑灵公和大夫们喝鳖汤，却没有给子公，子公生气地用手指蘸鳖汤尝了一下，郑灵公大怒预谋杀害子公，而子公却先下手杀了郑灵公。宋国和郑国交战，宋将华元在战前宰羊慰劳士卒，却忘了给车夫吃，车夫暗自生气，驾车直接将华元送到了郑国的军队而被俘。晋朝刘毅贫穷时向庾悦要一块烤鹅吃，庾悦拒绝。晋朝罗友大大咧咧，曾求人施舍祭食，竟然被当作傻子。《易经》说：“舍弃自己如同灵龟般的智慧，却观望别人手里的食物，不耐安静而追求动养，此卦凶。”那些一心想要追求口腹欲望的人，人们会瞧不起。唉，难道不该忍耐吗？

乐之忍第七

【原文】

音聋色盲，驰骋发狂，老氏预防。朝歌夜弦，三十六年，嬴氏无传。金谷欢娱，宠专绿珠，石崇被诛。人生几何，年不满百；天地逆旅，光阴过客；若不自觉，恣情取乐；乐极悲来，秋风木落①。噫，可不忍欤？

【注释】

①木落：落叶。

【译文】

五音让人的听觉失灵，缤纷的色彩让人眼花缭乱，纵情狩猎让人放纵发狂，老子很早就告诫人们防止因事过度而造成伤害。秦朝的贵族不分昼夜地歌舞享乐，只是三十六年，嬴姓政权就旁落他人。晋朝石崇巨富，宠爱绿珠并为她建造了一座金谷园，终日享乐，最后被他人陷害而死。人生短暂，很少有人可以享寿百年。天地是万物的旅居之地，时间就像是匆匆过客，如果不能够看清这点，一味纵情享乐，必然会乐极生悲，就如同秋风扫落叶一般。唉，难道不该忍一忍吗？

权之忍第八

【原文】

子孺避权，明哲保身；杨李弄权，误国殄民。盖权之于物，利于君，不利于臣；利于分，不利于专。惟彼愚人，招权入己，炙手可热，其门如市。生杀予夺，目指气使①，万夫胁息②，不敢仰视。苍头③庐儿，虎而加翅，一朝祸发，迅雷不及掩耳。李斯之黄犬谁牵，霍氏之赤族奚避？噫，可不忍欤？

【注释】

①目指气使：用眼神与脸色指使人，形容傲慢。

②胁息：屏住呼吸，形容非常恐惧。

③苍头：奴仆。

【译文】

西汉张良主动交出权力，选择了退隐以求明哲保身；杨国忠和李林甫势倾朝野，欺上瞒下，结果误国害民。权力这种东西，对国君有利，对臣子则有害；适合分散而不适合集中。只有那些愚昧的人才会千方百计地揽权，让自己变得炙手可热，门庭若市。由于手中掌握着生死大权，用眼神和脸色指使别人，让人心惊胆战不敢仰头观看。侍从小人一旦得势，就如虎添翼，肆意作乱，不过灾祸很快就会找来，一旦灾祸来到，迅雷不及掩耳，避也避不开。李斯到死才明白权力哪里能同牵黄犬逐狡兔的悠闲生活相比；霍去病击破匈奴立下战功，其弟霍光辅佐太子有功，但最后满门抄斩的祸患又如何躲避？唉，难道不该忍一忍吗？

势之忍第九

【原文】

迅风驾舟，千里不息；纵帆不收，载胥及溺[①]。夫人之得势也，天可梯而上；及其失势也，一落地千丈。朝荣夕悴[②]，变在反掌。炎炎者灭，隆隆者绝。观雷观火，为盈为实；天收其声，地藏其热。高明之家，鬼瞰其室。噫，可不忍欤？

【注释】

①载胥及溺：都会沉溺。

②朝荣夕悴（cuì）：早上繁荣，傍晚萎靡。

【译文】

凭风行舟，一日可行千里，但是只顾着痛快，就会覆舟溺水。人的势力也是这样的，一个人势力正旺的时候，就好像拿来云梯就能够登上青天；等到他失势的时候，就好像在云梯上摔下来，一落千丈。早上得势是身居卿相，傍晚失势已是布褐贱夫，一个人的势力变化之快就像翻转手掌一般。炎热的火焰终将会熄灭，隆隆的雷声最终会停息。看看雷火，都是因为满盈而后覆灭。雷声被天所收，火焰被地所藏。高明富贵的家庭隐藏着危机，鬼神守候在周围，等着他们得意忘形，好加以迫害。唉，难道不该忍一忍吗？

贫之忍第十

【原文】

无财为贫，原宪非病；鬼笑伯龙，贫穷有命。造物之心，以贫试士，贫而能安，斯为君子。民无恒产[①]，因无恒心，不以其道得之，速奇祸于千金。噫，可不忍欤？

【注释】

①恒产：固定的产业。

【译文】

原宪在鲁国时，生活非常贫困，只是钱财的贫穷，而非子贡所说的病。南宋刘伯龙，少时贫穷，想要致富却被鬼笑话，于是感慨贫穷为命中注定。上天的用意，是用贫穷来试人，若能够安贫乐道则为真君子。老百姓若无固定产业就不会安下心来，如果不能安心，就会为了获利而不择手段，最后招来祸害。唉，难道不该忍一忍吗？

富之忍第十一

【原文】

富而好礼，孔子所诲；为富不仁，孟子所戒。盖仁足以长福[①]而消祸，礼足以守成[②]而防败。怙富而好凌人，子羽已窥丁子皙；富而不骄者鲜，史鱼深警于公叔。庆封之富非赏实殃，晏子之富如帛有幅。去其骄，绝其吝，惩其忿，窒其欲，庶几[3]保九畴之福。噫，可不忍欤！

【注释】

①长福：增加福报。

②守成：守护前人创下的成就与业绩。

③庶几：或许可能。

【译文】

孔子认为富而不骄、富而好礼应该是富人的操守；孟子也曾告诫学生，不要一富贵了，就丧失了仁德。仁德能够增加福德而消弭灾祸，礼仪可以守成而防败。郑国的公孙黑仰仗着富贵而欺凌他人，行人子羽预言他为时不久。富贵而不骄傲的人很少，史鱼因此警告卫公叔文子，最终卫公叔文子因富而骄横得罪卫灵公而流亡他国。齐国庆封的富上加富遭到了上天的责罚。齐国宰相晏婴的富有像丝帛般宽大又懂得节制，只有懂得节制才能持久。如果能做到戒除骄傲，消除吝啬，警戒愤怒，节制欲望，那么就有可能拥有五福（寿、富、康宁、攸好德、考终命）。唉，难道不该忍一忍吗？

贱之忍第十二

【原文】

人生贵贱，各有赋分；君子处之，遁世无闷。龙陷泥沙，花落粪溷[1]；得时则达，失时则困。步骘甘受征羌席地之遇，宗悫[2]岂较乡豪粗食之羞。买臣负薪而不耻，王猛鬻[3]畚[4]而无求。苟充诎[5]而陨获[6]，数子奚望于公侯。噫，可不忍欤？

【注释】

①粪溷（hùn）：厕所。

②宗悫（què）：南宋时的名将。

③鬻（yù）：出售。

④畚（běn）：古代用草编成的盛器。

⑤充诎（qū）：得意忘形。

⑥陨获：丧失志气。

【译文】

人生贵贱，其中隐藏着许多机遇和偶然。君子们对于贵贱看得很淡，就算一生隐世也没有烦闷的感觉。飞龙偶尔会陷于泥沙中，鲜花有时也会飘落到粪坑里。时机到了就会发达，错过了时机难免受困。三国时的步骘甘愿承受焦征羌人对他的慢待；南宋时的宗悫不计较豪族庾业对他的侮辱，后来二人都飞黄腾达了。西汉的朱买臣砍柴谋生不以为耻，晋朝王猛以卖畚为业而无欲无求。如果这些人富贵后就得意忘形，贫穷时就丧失志气，怎么可能最后都封公封侯了呢？唉，难道不该忍一忍吗？

贵之忍第十三

【原文】

贵为王爵，权出于天；洪范五福，贵独不言。朝为公卿，暮为匹夫①。横金曳紫，志满气粗；下狱投荒②，布褐不如。盖贵贱常相对待③，祸福视谦与盈。《鼎》之覆𫗧④，以德薄而任重；《解》之致寇，实自招于负乘。《讼》之鞶带⑤，不终朝而三褫⑥；《孚》之翰音，凶于天之躐登⑦。静言思之，如履薄冰。噫，可不忍欤？

【注释】

①匹夫：普通百姓。

②投荒：流放偏远的地方。

③对待：同时存在。

④𫗧（sù）：古代指鼎中的食物。

⑤鞶（pán）带：用皮革制成，供贵族佩戴的宽大腰带。

⑥褫（chǐ）：剥夺。

⑦躐（liè）登：指越级登过。

【译文】

虽然天子是最高贵的，并且君权神授，但是在《尚书·洪范》提到的五福之中，却没有贵这一项。早晨还贵为公卿，傍晚便成为普通百姓了。得势时，腰金衣紫，志满气粗；失势的时候，下狱流放，就连普通的百姓都不如了。贵贱通常是同时存在的，谦虚能够致富，骄傲盈满则常常陨落。《易·鼎》卦中说，鼎中的美食之所以会倾覆，是由于根基不稳定并且负担太重。《解》卦中说的那个被抢劫的人，真是自作自受，身份低微却乘坐贵人的车马，自然容易引来别人的觊觎。《讼》卦中讲到一个人的官职在一天中三次遭到罢免，足以看出富贵无常；《中孚》卦中说声音虽然上达于天，但由于名不符实而被判为凶。静心想想，就会觉得如同行走在冰面上一样。唉，难道不该隐忍吗？

宠之忍第十四

【原文】

婴儿之病伤于饱，贵人之祸伤于宠。龙阳君之泣鱼[①]，黄头郎之入梦[②]。董贤令色，割袖承恩；珍御贡献，尽入其门。尧禅未遂，要领已分。国忠娣妹，极贵绝伦；少陵一诗，画图丽人；鱼阳兵起，血污游魂。富贵不与骄奢期，而骄奢至；骄奢不与死亡期，而死亡至。思魏牟之谏，穰侯可股慄而心悸。噫，可不忍欤？

【注释】

①龙阳君之泣鱼：龙阳君为战国时魏安釐王的宠臣。一次，他与魏王乘舟钓鱼，钓了十几条之后，龙阳君忽然哭泣起来，魏王问他为何哭泣？

他回答道："臣刚开始钓到鱼很高兴，但后来钓到了更大的，就丢弃了先前的，这就如同臣也会被抛弃一样，怎能不哭呢？"

②黄头郎之入梦：一次，汉文帝梦见自己上天，结果怎么也登不上去，于是有个黄头郎推了他一下。梦醒后他四处寻找，找到了邓通，对他极为宠爱，给他的财富非常多，后来文帝去世后，邓通被饿死在监狱中。

【译文】

婴儿生病常常是因为吃得过饱，贵人招祸则是因宠生骄。龙阳君乘舟钓鱼，哭诉恩宠无常；黄头郎邓通进入（汉文帝的）梦中（骤然富贵最后病饿而死）。董贤英俊潇洒，断袖而受到君王恩宠，奇珍异宝，尽送入他的门中，还没有像尧帝禅位那样（得到帝位），他的性命就结束了。杨国忠、杨贵妃兄妹，得到了极致的富贵。杜甫一首诗（《丽人行》）刻画了他们的妍丽形象，然而渔阳兵起，血染孤魂。富贵的人不曾期望要骄奢，骄奢却来了；骄奢的人不期望死亡，死亡却来了。想起魏国公子牟的忠告，穰侯想必会害怕得瑟瑟发抖吧。唉，难道不该忍一忍吗？

辱之忍第十五

【原文】

能忍辱者，必能立天下之事。圯[①]桥匍匐取履，而子房韫帝师之智；市人笑出胯下，而韩信负侯王之器。死灰之溺，安国何羞；厕中之箦[②]，终为应侯。盖辱为伐病之毒药，不瞑眩而曷瘳[③]。故为人结袜者为廷尉，唾面自干者居相位。噫，可不忍欤？

【注释】

①圯（yí）：桥。

②箦（zé）：竹席。

③瘳（chōu）：病愈。

【译文】

能忍辱的人，一定能成就大事。西汉张良忍辱为黄石公捡鞋，他具备了帝王之师的才智；西汉韩信少时曾忍辱从别人的胯下钻过，遭到市人耻笑，却养成了王侯的器量。西汉的韩安国因罪入狱，狱吏田甲侮辱他，扬言要用尿来浇灭他可能复燃的死灰，韩安国并没有因此感到羞耻；战国时，范雎曾被人用竹席卷起来置于厕所，醉鬼往他身上撒尿，没人想到最后他被封为应侯。由此可见，羞辱真是克病之毒药，如果不使人昏昏欲睡，怎么能好得了呢？所以西汉张释之为人系袜子而受敬重，唐代娄师德"唾面自干"而居相三十年。唉，难道不该隐忍吗？

安之忍第十六

【原文】

宴安鸩毒，古人深戒；死于逸乐，又何足怪？饱食无所用心，则宁免于博弈之尤；逸居而无教，则又近于禽兽之忧。故玄德涕流髀肉[①]，知终老于斗蜀；士行日运百甓[②]，习壮图之筋力。盖太极动而生阳，人身以动为主。户枢不蠹[③]，流水不腐。噫，可不忍欤！

【注释】

①髀（bì）肉：大腿内侧近大腿根的肌肉。

②甓（pì）：砖。

③蠹（dù）：蛀蚀。

【译文】

以安逸为乐，比喝毒酒更害人，所以古人深以为戒。沉湎于安逸会让人懒惰，会丧失志向，放纵自己，最后丧命黄泉也就不足为怪了。孔子说，吃饱了饭无所事事最容易招惹麻烦，就算是下下棋都比闲着好。游手好闲又无教养，那就与禽兽没什么区别了。由于很久不参加征战，大腿上长出赘肉，刘备因此而难过落泪，清楚自己难免会终老于小小的西蜀。晋代的陶侃每天把一百块砖搬出来搬回去，是为了锻炼筋力，以备将来成就大事。太极由于旋转而生出了阳气，人的身体也应该以动为主。时常转动的门轴不会被蛀蚀，持续流动的水不会腐臭。唉，难道不该忍耐一下吗？

危之忍第十七

【原文】

围棋制淝水之胜，单骑入回纥之军。此宰相①之雅量，非元帅之轻身。盖安危未定，胜负未决，帐中仓皇，则麾下气慑，正所以观将相之事业。浮海遇风，色不变于张融；乱兵掠射，容不动于庾公。盖鲸涛澎湃，舟楫寄家。白刃蜂舞，节制谁从？正所以试天下之英雄。噫，可不忍欤？

【注释】

①宰相：指谢安。

【译文】

东晋军和秦军大战于淝水，主帅谢安却与客人下围棋，淡定指挥赢得了胜利。唐朝郭子仪曾单骑深入回纥大军，以一己之身力挽狂澜平定叛乱。谢安此举体现的是作为宰相的大家气度，绝非作为元帅而轻身冒险。如果两军对峙，安危未定，胜败未分，帐中主帅却仓皇失措，麾下兵卒就会惧怕胆怯。这种危急关头，正是显示将相才能的时候。南齐张融渡海遇风，毫无惧色；晋代庾亮兵败逃跑时，面对劲敌，从容不迫。在惊涛骇浪中以船为家，在白刃纷飞中从容不迫。这些情况正好能够检验天下的英雄。唉，难道不该隐忍吗？

忠之忍第十八

【原文】

事君尽忠，人臣大节；苟利社稷，死生不夺。杲卿[①]之骂禄山，痛不知于断舌；张巡之守睢阳，烹不怜于爱妾。养子环刃而侮骂，真卿誓死于希烈。忠肝义胆，千古不灭。在地则为河岳，在天则为日月。高爵重禄，世受国恩，一朝难作，卖国图身，何面目以对天地？终受罚于鬼神。昭昭信史，书曰叛臣。噫，可不忍欤？

【注释】

①杲（gǎo）卿：颜杲卿，唐朝人，颜真卿之兄。

【译文】

对君王尽忠职守，是作为臣子应有的操守。为了国家的利益，可以将生死置之度外。唐代颜杲卿，被俘之后大骂安禄山，安禄山割掉他的舌头，他也不觉得疼痛。唐代张巡起兵讨伐安禄山，弹尽粮绝的时候，将自己的爱妾杀掉烹煮，从而让士兵填饱肚子。李希烈的养子们拿着刀围着颜真卿威胁辱骂，他却不为所动，宁死不屈。这些人的忠肝义胆千古不灭。他们在大地上是河山，在天上是日月星辰。做着高官，拿着厚禄，世世代代享受着国家的恩泽，但是一到国家有难的时候，就卖国保身，这类人有何脸面去面对天地呢？他们最终定然受到鬼神的惩罚。史书上也会重重地写下其叛臣的名号，令他们遗臭万年。唉，难道不该忍一忍吗？

孝之忍第十九

【原文】

父母之恩，与天地等；人子事亲，存乎孝敬，怡声下气[①]，昏定晨省②。难莫难于舜之为之，焚廪掩井，欲置之死，耕于历山，号泣而已。冤莫冤于申生、伯奇，父信母谗，命不敢违。祭胡为而地坟③，蜂胡为而在衣④？盖事难事之父母，方见人子之纯孝。爱恶不当疑，曲直何敢较？为子不孝，厥罪非轻。国有刀锯，天有雷霆。噫，可不忍欤？

【注释】

①怡声下气：声音柔和，态度恭顺。

②昏定晨省：晚上服侍就寝，早上省视问安。

③祭胡为而地坟：春秋时晋国太子申生是晋献公的嫡子。后来晋献公的宠姬骊姬生了奚齐，献公非常宠爱奚齐。骊姬利用献公的宠爱，找机会将其他公子都排挤到了外地。后来，骊姬想谋害太子申生，于是派他去祭祀已经去世的夫人齐姜。申生祭祀后回到都城，便把祭祀用的酒和肉呈给献公。恰巧献公打猎未归，骊姬于是暗中派人在祭酒和祭肉中下毒。献公打猎回来后要吃祭酒和祭肉，却发现其中有毒，骊姬便诬陷这是申生所为。申生逃往新城，于是献公杀了申生的师傅。有人让申生去申辩，但申生认为国君没有骊姬就会吃不好、睡不好，为人子者不可让父亲遭此打击。有人让申生逃往别处，而申生认为自己的罪名未曾澄清，无处可逃，最后自缢而死。坟，像坟一样高起，此处是指献公以酒祭地，祭酒因被下毒而使地面高起。

④蜂胡为而在衣：周朝重臣尹吉甫，曾辅佐三代周王，其长子为尹伯奇。尹伯奇非常孝顺后母，但后母厌恶他。有一次，后母捉了一只毒蜂，拔去毒汁，系在自己的衣服上。尹伯奇看到后为她捉下，谁知后母竟然惊叫尹伯奇拉她的衣服。尹吉甫听到后以为儿子要非礼后母，于是赶走了伯奇。伯奇作琴曲《履霜操》陈述自己的冤屈，曲终便投河而死。

【译文】

父母的恩情比天高比地厚，子女服侍父母要以孝顺尊敬为先，用最和悦的声音说话，态度要恭顺温和，晚上要服侍就寝，早上要省视问安。在所有的孝子中最难的应该是舜，他的父亲焚烧粮仓，填塞井水，一心想将他置于死地，舜耕种历山，每天对着苍天哭泣。在所有的孝子中最冤的算是申生和尹伯奇，他们的父亲都是听信后母的话误会了他们，错误处罚，最终使他们自杀而亡。祭祀为什么会导致地面高起，蜜蜂为什么会跑到衣服上？应该是侍奉很难侍奉的父母，才能显示出子女纯粹的孝心。父母喜欢或者厌恶，不要去怀疑，是非曲直也不必去计较。子女如果不孝顺父母，他的罪过就会很大。对于这样的人，国家有刑罚，老天有雷霆。唉，难道不该忍耐一下吗？

仁之忍第二十

【原文】

仁者如射①，不怨胜己；横逆②待我，自反而已。夫子不切齿于桓魋③之害，孟子不芥蒂于臧仓之毁。人欲万端，难灭天理。彼以其暴，我以吾仁；齿刚易毁，舌柔独存。强恕而行，求仁莫近；克己为仁，请服斯训。噫，可不忍欤？

【注释】

①射：射箭。

②横逆：蛮横无理。

③桓魋（tuí）：春秋时宋国司马（掌兵权的官员）向魋。

【译文】

为仁者就像射箭，射不中的时候不会怨恨别人比自己强；别人粗暴蛮横地对待他，他就从自己的身上寻找问题。孔子不怨恨桓魋谋害自己，孟子对臧仓的诋毁也并不心存芥蒂。就算人的欲望很多，但天理还是无法埋没。别人放任自己的暴虐，我们只管践行自己的仁德。牙齿虽然非常坚硬，但是容易毁坏；舌头虽然非常柔软，却能够保存长久。尽量以忠恕之道作为行为准则，这样求仁就没有比它更近的了；克制自己就是仁，请认真践行这份忠告。唉，难道不该忍一忍吗？

义之忍第二十一

【原文】

义者，宜也。以之制事，义所当为，虽死不避；义所当诛，虽亲不庇；义所当举，虽仇不弃。李笃忘家以救张俭，祈奚忘怨而进解狐。吕蒙不以乡人干令而不戮，孔明不以爱客败绩而不诛。叔向数叔鱼之恶，实遗直也；石碏[①]行石厚之戮，其灭亲乎？当断不断，是为懦夫。勿行不义，勿杀不辜。噫，可不忍欤？

【注释】

①石碏（què）：春秋时期卫国大夫。

【译文】

义，就是合宜的意思。如果用合宜的准则做事，按照义应该做的，就算是付出性命也不逃避；理应被诛杀的人，就算是亲戚也不能包庇；应该被举荐的人，就算是仇家也不能落下。东汉的李笃不惜牺牲自己的家人来营救张俭，晋国的祈奚尽释前嫌举荐解狐，都属于义。三国吕蒙不因同乡犯法而不斩，诸葛孔明不因在街亭战败的马谡是自己的爱将而不诛杀他。叔向数列兄弟叔鱼的过失，公正严明，有古人的遗风。石碏亲自安排处决了自己的儿子石厚，不就是大义灭亲吗？在应当决断的时候犹豫不决，是懦夫的行为。不要做不义的事情，不要滥杀无辜。唉，难道不该隐忍吗？

礼之忍第二十二

【原文】

天理之节文，人心之检制[①]。出门如见大宾[②]，使民如承大祭。当以敬为主，非一朝之可废。钼麑[③]屈于宣子之恭敬，汉兵弭于鲁城之守礼。郭泰识茅容于避雨之时，晋臣如冀缺于耕馌[4]之际。季路结缨于垂死，曾子易箦于将毙。噫，可不忍欤？

【注释】

①检制：约束，节制。

②大宾：贵宾。

③钼麑（chú ní）：晋国的大力士。

④馌（yè）：给田间耕作的人送饭。

【译文】

礼是根据上天的意志所制定的，是对人心的约束节制。出门就像是去接待贵宾，役使百姓就好像是参加重大的祀典。任何事情都应该恭恭敬敬，不是一时可以废止的。义士钼麑受晋灵公之命前去刺杀谏臣赵宣子，见赵宣子对灵公特别恭敬，深受感动，羞愧自杀；刘邦的部队因为鲁国是遵守礼义的国家而罢兵不战。郭泰在避雨的时候见识了茅容的脱俗，晋国大夫（臼季）在田边看到冀缺和送饭的妻子相敬如宾的情景，从而知道了冀缺的出众。子路临死之前也要将帽子上的缨带系好，曾子只有在换好席子之后才安心去世。唉，恪守礼数难道不该隐忍吗？

智之忍第二十三

【原文】

樗里[1]、晁错俱称智囊，一以滑稽而全，一以直义而亡。盖人不可无智，用之太过，则怨集而祸至。故宁俞之智，仲尼称美；智不如葵，鲍庄断趾。士会以三掩人于朝，而杖其子；闻一知十之颜回，隐于如愚而不试。噫，可不忍欤？

【注释】

①樗（chū）里：樗里疾，战国秦惠文王的异母弟。

【译文】

秦国的樗里疾与西汉的晁错都被称为智囊。但是樗里疾用滑稽保住了性命，而晁错却由于性情耿直、敢说敢为而丢掉了性命。大凡人不可以没有智谋，但是如果聪明过头，就会惹祸上身。孔子赞赏宁武子的聪明智慧，国家安定时，就聪明，国家动乱时就装傍，懂得随机应变，一般人不及他的智慧。孔子讥讽鲍庄子被砍了脚，说他做事不知道看时机，才智还不如向日葵。士会的儿子在朝堂上屡次猜出别人猜不出的谜语，遭受到了士会的杖责。颜回聪明到可以闻一知十，看起来好像并不聪明的样子。唉，难道不该隐忍吗？

信之忍第二十四

【原文】

自古皆有死，民无信不立。尾生以死信而得名，解扬以承信而释劫。范张不爽约于鸡黍，魏侯不失信于田猎。世有薄俗，口是心非。颊舌自动，肝膈不知。取怨之道，种祸之基。诳楚六里，勿效张仪；朝济夕版，曲在晋师。噫，可不忍欤？

【译文】

自古以来，每个人都要死，但是人如果没有信用，就无法立身。尾生曾与一名女子相约在桥下见面，那个女子未来，大水来了，尾生还不离开，抱着桥柱淹死，获得了后世的赞誉。楚国围攻宋国，宋国向晋国求救，晋国派解扬去宋国传达晋国将派兵马也援的消息。结果半路上，解扬被郑国人抓获，并送给了楚国。楚国贿赂他，让他蒙骗宋国。在城墙上，他仍旧传达了晋国将救宋国的消息，并获得了楚人的谅解。东汉时的范式与张邵年轻时在太学游学，关系十分友好，当他们分别前，范式说："两年后的今天，我来拜望你的母亲。"两年后，范式果然不远千里去拜会好友，没有失约。魏文侯与虞人约好出去打猎，到了约定这一天，魏文侯喝酒正在兴头上，天又下起了雨，他要出去的时候，左右的人劝阻他，但是他并没有因喝酒和下雨而失约。世间有轻薄的风俗，常常口是心非，表里不一。招惹怨恨，埋下祸根都是因为不守信。不要效仿张仪，用六里地去欺骗楚国；晋惠王早上刚在秦国的帮助下过河，晚上就开始修筑防御工事与秦国为敌，确实是晋国人理亏啊！唉，难道不该隐忍吗？

喜之忍第二十五

【原文】

喜于问一得之，子禽见录于鲁论；喜于乘桴浮海，子路见诮于孔门。三仕无喜，长者子文；沾沾自喜，为窦王孙。捷至而喜，窥安石公辅之器；捧檄而喜，知毛义养亲之志。故量有浅深，气有盈缩[①]；易浅易盈，小人之腹。噫，可不忍欤？

【注释】

①盈缩：伸缩，进退。

【译文】

陈子禽是孔子门生，他非常高兴自己与老师的儿子伯鱼交谈时，能够问一得三。他们之间的对话还被记录在了《论语》之中。孔子的另一个弟子子路听到孔子说要带自己乘坐木筏浮海远航非常高兴，却也因此被孔门讥诮气量太小。三次当了令尹，却没有太大的喜色，那是楚国的子文；自己觉得不错而得意忘形，那是西汉的窦王孙。晋朝谢安在淝水之战捷报传来时，正与客人下棋，他淡定自若，由此可以看出谢安的宰相气度。东汉毛义任安阳令后喜不自胜，却是出于要借此来赡养老母。因此，人的度量有浅有深，气度有大有小，容易褊浅、容易满足的是小人心胸。唉，难道不该隐忍吗？

卷二

怒之忍第二十六

【原文】

怒为东方之情而行阴贼之气，裂人心之大和，激事物之乖异，若火焰之不扑，斯燎原之可畏。大则为兵为刑，小则以斗以争。太宗不能忍于蕴古、祖尚之戮，高祖乃能忍于假王之请、桀纣之称。吕后几不忍于嫚[①]书之骂，调樊哙十万之横行。故上怒而残下，下怒而犯上。怒于国则干戈日侵，怒于家则长幼道丧。所以圣人[②]有忿思难之诫，靖节有徒自伤之劝。惟逆来而顺受，满天下而无怨。噫，可不忍欤？

【注释】

①嫚（màn）：轻视，侮辱。

②圣人：这里指孔子。

【译文】

怒是七情六欲中的一种，阴阳家称为东方之情，行阴险盗窃之气。它能够破坏人心中的平和，激荡出乖异的事物，如果不尽早地控制，就如同小小的火焰，发展到最后也能够有燎原之势。愤怒的后患，严重者能够引发战争与刑罚，轻微的也能够造成争吵打斗。唐太宗听信谗言无心辨别张蕴古的是非，一时意气用事，错杀张蕴古，还因卢祖尚拒绝君命，一时大怒又下令杀了卢祖尚。汉高祖刘邦却忍受了立韩信为假王的请求，并忍受周昌称呼自己为桀纣。吕后差点因为忍受不了匈奴冒顿的羞辱，准备调动樊哙的十万大军进攻匈奴。因此，在上位的人，凡事不能容忍，轻易发怒，就会残虐下面的人；属下轻易发怒就一定会冒犯上位的人。对于国家来说一旦发怒就容易引发战争，而对于家庭来说一旦发怒就容易让长幼的伦常丧尽。所以孔子告诫发怒的时候，应当考虑一下严重的后果，陶渊明也告诫世人，生气只会伤害自己。只有逆来顺受，天下就不会存在怨恨了。唉，难道不该隐忍吗？

疾之忍第二十七

【原文】

六气之淫，是生六疾。慎于未萌，乃真药石。曾调摄[①]之不谨，致寒暑之为衅。药治之而反疑，巫眩[②]之而深信，卒陷枉死之愚，自背圣贤之训。故有病则学乖崖移心之法，未病则守嵇康养生之论。勿待二竖之膏肓，当思爱我之疾疢[③]。噫，可不忍欤？

【注释】

①调摄：调理保养。

②巫眩：巫师的迷信行为。

③疢（chèn）：热病，亦泛指疾病。

【译文】

六气包括阴、阳、风、雨、晦、明，如果六气不节制就会生出六种疾病。在还没有发作的时候谨慎小心，才是真正的治病方法。平日里不小心调理保养，就会引起冷热不堪的疾病。不相信药物治疗，却相信巫师的迷信行为，违背了圣贤的告诫，结果只能枉送性命。因此，有病的时候要学习张泳的移心之法，而在没有病的时候，则要遵守嵇康的养生之论。不要等到病入膏肓无药可治，要在无病的时候就谨慎预防，才是真正的爱护自己。唉，难道不该隐忍吗？

变之忍第二十八

【原文】

志不慑[1]者，得于预备；胆易夺者，惊于猝至[2]。勇者能搏猛兽，遇蜂虿[3]而却走；怒者能破和璧，闻釜破而失色。桓温一来，坦之手板颠倒；爰有谢安，从容与之谈笑。郭晞一动，孝德彷徨无措；亦有秀实，单骑入其部伍。中书失印，裴度端坐；三军山呼，张泳下马。噫，可不忍欤？

【注释】

①慑：惊恐害怕。

②猝至：突然降临。

③蜂虿（chài）：都是有毒刺的螯虫。

【译文】

意志坚定，不轻易动摇，是因为早有防备；而那些胆量容易流失的，是变故突然而至的缘故。有勇之人可以与猛兽相斗，但遇到蜂虿还是会逃跑。蔺相如有勇气让自己的头与和氏璧同碎，却在锅被打破时吓得变了脸色。西晋大司马桓温来朝见皇帝，王坦之见桓温时吓得连上朝的手板都拿倒了，而谢安态度从容，谈笑自若。郭子仪的儿子郭晞在邠州放纵士卒为暴，节度使白孝德敢怒不敢言，但是段秀实却不畏惧，单枪匹马进了他的大军中。属下汇报丢了官印，裴度安坐不动，继续喝酒，尔后有人报告官印复得，裴度依旧很淡然。宋朝张泳阅兵时，军士三次高呼，张泳下马也高呼三声，军士顿时肃然。唉，难道不该隐忍吗？

侮之忍第二十九

【原文】

富侮贫，贵侮贱，强侮弱，恶侮善，壮侮老，勇侮懦，邪侮正，众侮寡，世之常情，人之通患①。识盛衰之有时，则不敢行侮以贾怨②。知彼我之不敌，则不敢抗侮而构难。汤事葛，文王事昆夷，是谓忍侮于小。太王事獯鬻③，勾践事吴，是谓忍侮于大。忍侮于大者无忧，忍侮于小者不败。当屏气于侵杀，无动色于睚眦④。噫，可不忍欤？

【注释】

①通患：通病。

②贾怨：招致怨恨。

③獯鬻（xūn yù）：即匈奴，我国古代北方的一个民族。

④睚眦（yá zì）：极小的仇怨。

【译文】

有钱的欺负贫困的，富贵的欺负卑贱的，强大的欺压弱小的，凶恶的欺辱善良的，壮年的欺辱年老的，勇敢的欺辱懦弱的，邪恶的欺辱正直的，人多的欺负人少的，都属于一般人常有的感情，为人类的通病。如果能够认识到盛衰有时，就不会去擅自侮辱他人为自己以后结下仇怨。如果知道自己不是他人的对手，就不会强行反抗来制造事端。商汤不计较小国葛的不恭，周文王以修养自己的道德来感化昆夷的侵略，他们以大忍小，不欺负小国，终安抚四方一统天下。周文王的祖父周太王侍奉匈奴，越王忍侮做吴国的奴隶，卧薪尝胆，终于灭掉了吴国，这是以小忍大。以小忍大没有忧患，以大忍小不会失败。所以对于他人的侵夺应该忍受，对于他人的小仇小恨也没必要放在心上。唉，难道不该隐忍吗？

谤之忍第三十

【原文】

谤生于雠①，亦生于忌。求孔子于武叔之咳唾，则孔子非圣人；问孟轲于臧仓之齿颊，则孟子非仁义。黄金，王吉之衣囊；明珠，马援之薏苡。以盗嫂污无兄之人，以笞舅诬娶孤女之士。彼何人斯，面人心狗。荆棘满怀，毒蛇出口。投畀[②]豺虎，豺虎不受。人祸天刑，彼将自取。我无愧怍，何慊[③]之有？噫，可不忍欤？

【注释】

①雠（chóu）：同“仇”。

②畀（bì）：与。

③慊（qiàn）：不满，怨恨。

【译文】

诽谤来自仇敌，也来源于忌妒。叔孙武叔诋毁孔子，如果孔子计较的话就不是圣人；如果孟子计较臧仓的污蔑，也就少了仁义。王吉由于衣着光鲜而被人怀疑可以制造黄金，马援由于常饵薏苡，被人污蔑运回了珍珠。西汉直不疑连哥哥都没有，却有人说他与嫂子私通；东汉第五伦娶的是孤女，却有人说他殴打岳父。这都是些什么样的人啊，长着人的脸，却有着无耻的心，他们满肚子都是害人的荆棘，一张嘴就是毒蛇一样的邪恶。把这样的人投给豺狼虎豹，它们都不会吃。遭受人祸天刑也属于咎由自取。如果我问心无愧又怎么会有怨恨呢？唉，难道不该隐忍吗？

誉之忍第三十一

【原文】

好誉人者谀，好人誉者愚。夸燕石为瑾瑜，诧鱼目为骊珠[①]。尊桀为尧，誉跖为柳。爱憎夺其志，是非乱其口。世有伯乐，能品题[②]于良马；岂伊庸人，能定驽骥之价？古之君子，闻过则喜。好面誉人，必好背毁。噫，可不忍欤？

【注释】

①骊珠：宝珠。

②品题：评论人物，定其高下。

【译文】

一味地讨好奉承别人的人是谄媚的人，不明察是非而喜欢别人赞美自己，是愚蠢的人。把普通的燕石当作美玉来夸奖，鱼目混珠。把暴君夏桀夸成尧帝，将残暴的盗跖比作仁义的柳下惠。这些都是爱憎改变了他们的心志，是非迷乱了他们的嘴巴。世有伯乐，能够品评良马；那些平庸之人哪里能分辨出马的优劣呢？古代的君子只要别人指出他的过失他就高兴。那些喜欢当面赞誉别人的人，也一定喜欢背后诋毁人。唉，难道不该隐忍吗？

谄之忍第三十二

【原文】

上交不谄，知几其神。巧言[①]令色，见谓不仁。孙弘曲学，长孺百折；萧诚软美，九龄谢绝。郭霸尝元忠之便液，之问奉五郎之溺器。朝夕挽公主车之履温，都堂拂宰相须之丁谓。书之简册，千古有愧。噫，可不忍欤？

【注释】

①巧言：好听的话。

【译文】

同上级交往而不谄媚，由此能够看出这个人的心志。花言巧语和媚态虚伪的人，在孔子看来不仁厚。西汉的公孙弘曲学阿世九十多岁的辕固教导他要用正直的道理来说话，莫去学歪门邪道欺世盗名。西汉的汲黯性情倨傲，很少讲情面，屡屡触犯皇帝。萧诚谄媚，张九龄便与之绝交。郭霸为了讨好魏元忠，竟然品尝他的大便，宋之问为了巴结张易之甘愿为他捧尿盆。唐代的赵履温，奉承谄媚安乐公主，早晚都去拉公主坐的车。宋代的丁渭在真宗时做参政，寇准为宰相，一起吃饭时汤洒在寇准的胡子上，丁渭为寇准抹去了胡子上的汤。这些人的佞行，都被记录在史书上，永远被后人耻笑。唉，难道不该隐忍吗？

笑之忍第三十三

【原文】

乐然后笑，人乃不厌。笑不可测，腹中有剑。虽一笑之至微，能召祸而贻患。齐妃笑跛而郤克[①]师兴，赵妾笑躄[②]而平原客散。蔡谟结怨于王导，以犊车之轻诋；子仪屏去左右，防鬼貌之卢杞。人世碌碌，谁无可鄙？冯道《兔园策》，师德田舍子。噫，可不忍欤？

【注释】

①郤（xì）克：郤献子，春秋晋国正卿。

②躄（bì）：腿瘸。

【译文】

真心快乐然后发笑，谁也不会讨厌。猜不透的笑容，常常是由于肚子里藏着坏心思。笑虽然事小，但是也能够招来祸患。晋国派郤克会盟于齐，进宫后由于跛脚被齐倾公的母亲嘲笑，导致他兴兵讨伐，齐国大败。平原君的美人在楼上看见邻居有个跛子一瘸一拐地去打水，于是大笑这导致平原君门下的宾客渐渐离去。蔡谟因为嘲笑王导只有短辕犊车与后者结怨，郭子仪支开左右姬妾，只为避免她们笑话卢杞的丑陋相貌而惹祸。人生在世，谁没有一些鄙陋的地方呢？冯道被人讥笑丢失了《兔园策》，娄师德被人贬称为乡巴佬。唉，难道不该忍忍吗？

妒之忍第三十四

【原文】

君子以公义胜私欲，故多爱；小人以私心蔽公道，故多害。多爱，则人之有技若己有之；多害，则人之有技娼疾[1]以恶之。士人入朝而见嫉，女子入宫而见妒。汉宫兴人彘之悲，唐殿有人猫之惧。萧绎忌才而药刘遴，隋士忌能而刺颖达。僧虔以拙笔之字而获免，道衡以燕泥之诗而被杀。噫，可不忍欤？

【注释】

①娼（mào）疾：忌妒。

【译文】

君子能以公理克服私欲，所以有博爱之心；而小人的私心蒙蔽了公道，所以他们容易害人。有博爱之心的人，看到别人的才能，就如同是自己有才能；而小人看到别人有才能就忌妒诋毁。读书人一旦当官就会被忌妒，女子一旦入宫就会被排挤。汉代的吕后忌妒受宠幸的戚夫人，于是在戚夫人身上上演了“人彘”的惨剧。唐代李义府高宗时暗里藏刀中伤他人，被人称为“李猫”。南朝梁元帝萧绎忌妒刘之遴的才能将他毒死。隋朝的老儒们忌恨年轻的孔颖达才能出众，便派人将他暗杀。南朝刘宋的王僧虔，写出很丑的字得以保命；隋朝薛道衡，文才出众，被隋炀帝借故绞死。唉，难道不该隐忍吗？

忽之忍第三十五

【原文】

勿谓小而弗戒，溃堤者蚁，螫人者虿。勿谓微而不防，疽[1]根一粟，裂肌腐肠。患尝消于所慎，祸每生于所忽。与其行赏于焦头烂额，孰若受谏于徙薪曲突。噫，可不忍欤？

【注释】

①疽（jū）：局部皮肤出现的恶疮。

【译文】

不要觉得事情小就不去重视，千里之堤，常因蚁穴而坏；

蜂蝎很小，却能将人刺痛。不要觉得事情轻微就不提防，恶疮初发时不过是一粒米那样大小，但是后来却能破裂肌肤腐烂肚肠。祸害都是由于小心谨慎而消除的，灾难常常是因为粗心大意而发生。与其心急火燎请人帮忙灭火解难，还不如一开始就移动一下柴禾，改动一下烟囱。唉，难道不该隐忍吗？

忤之忍第三十六

【原文】

驰马碎宝，醉烧金帛，裴不谴吏，羊不罪客。司马行酒，曳遐坠地；推床脱帻，谢不瞋系。诉事呼如周，宗周不以讳。是何触触生，姓名俱改避？盖小之事大多忤，贵之视贱多怒。古之君子，盛德弘度[①]，人有不及，可以情恕[②]。噫，可不忍欤？

【注释】

①弘度：宽宏大度。

②情恕：在情理上能够宽恕。

【译文】

唐人裴行俭，手下人私自骑马摔坏了马鞍，官吏不慎摔坏了珍宝，他都没有责罚。梁朝人羊侃在回家途中路过涟口时，醉酒的客人烧掉了七十多艘船，烧毁无数金帛，他都没有怪罪。裴遐与人下围棋的时候，司马劝酒，裴遐下棋没有及时喝酒，生气的司马将裴遐拉倒在地，裴遐不以为意。晋人谢万与蔡系因一个座位发生争执，被蔡系从座位上推了下去，弄掉了帽子和头巾，谢万并未将此事放在心上。北魏度支尚书宗如周，有人汇报事情时直呼其名，他没有觉得是对自己的不尊敬。为什么因为名字和上级的一样，就要改掉石昂的姓氏呢？小人物侍奉大人物的时候总会有冒犯的时候，高贵的人对待卑贱的人也经常容易生气。古代的君子品德高尚，肚量很大，因为每个人都有自己做不到的事情，所以说在情理上都是可以被宽恕的。唉，难道不该隐忍吗？

仇之忍第三十七

【原文】

血气之初，寇仇之根。报冤复仇，自古有闻，不在其身，则在子孙。人生世间，慎勿构冤。小吏辱秀，中书憾潘。谁谓李陆，忠州结欢？霸陵尉死于禁夜，庾都督夺于鹅炙。一时之忿，异日之祸。张敞之杀絮舜，徒以五日京兆之忿；安国之释田甲，不念死灰可溺之恨。莫惨乎深文以致辟，莫难乎以德而报怨。君子长者，宽大乐易，恩仇两忘，人己一致。无林甫夜徙之疑，有廉蔺交欢之喜。噫，可不忍欤？

【译文】

年轻的时候血气方刚，要防止结下仇恨的根苗。自古以来就有大量的复仇和报冤的事情，就算冤仇没有发生在自己身上，那么迟早也会发生在子孙身上。因此，人生在世，要谨慎从事，不要轻易与人结仇。晋朝孙秀当小吏时，曾多次受到潘岳的侮辱打骂，发迹后杀了潘岳及其族人。唐朝的陆贽曾贬谪李吉甫，后来陆贽被贬到李吉甫的治下，李吉甫不但没有报仇，还与陆贽结为好友。西汉的李广被贬为庶民后，遭遇了霸陵尉的禁夜之辱，等到后来复职后便将其杀害解恨。晋代的刘毅作豫州都督时曾向庾悦要点鹅吃，庾悦连骂带说没有给，刘毅便记下了庾悦的仇。这些可以看出，一时的愤怒极有可能导致将来的祸害。张敞杀了絮舜，是为了发泄其嘲笑自己只当了五天京兆尹之忿；西汉韩安国原谅了那个在狱中欺负辱骂他的田甲，没有记挂当年他对自己所说的用尿浇灭复燃的死灰的侮辱。天下最惨的事莫过于无端罗织罪名而置人于死地，对人对己，一视同仁。没有比以德报怨更难，厚德之人宽宏大量，不计较个人恩怨，不会像李林甫那样到处结怨，落得一个日夜不得安宁的下场，只有廉颇、蔺相如那样握手言和的无尽快乐。唉，难道不该隐忍吗？

争之忍第三十八

【原文】

争权于朝，争利于市，争而不已，暋[①]不畏死。财能利人，亦能害人。人曷不悟，至于丧身？权可以宠，亦可以辱。人胡不思，为世大僇[②]？达人远见，不与物争。视利犹粪土之污，视权犹鸿毛之轻。污则欲避，轻则易弃。避则无憾于人，弃则无累于己。噫，可不忍欤？

【注释】

①暋（mǐn）：强横。

②僇（lù）：侮辱。

【译文】

争权的人争于朝廷，争利的人争于集市，争执不休，甚至不惜搭上性命。钱财可以对人有利，也可以对人不利。人们为什么不明白这个道理，而导致丢了性命呢？权力能够邀宠，也能够招辱。人们为何不去想一下，以至于最后沦为笑柄？通达的人看得远，不和他人争执。在他们眼里利如粪土一般污秽，权和鸿毛一般轻。由于污秽所以想要避开，由于轻微就非常容易抛弃。避开了利就不会和别人发生怨恨争执，抛弃了权就能够一身轻松。唉，难道不该隐忍吗？

欺之忍第三十九

【原文】

郁陶思君，象之欺舜。校人烹鱼，子产遽信。赵高鹿马，廷龄羡余。以愚其君，只以自愚。丹书之恶，斧钺[1]之诛。不忍丝发欺君，欺君臣子之大罪。二子之言，千古明诲。人固可欺，其如天何！暗室屋漏，鬼神森罗。作伪心劳，成少败多。乌雀至微，尚不可欺。机心一动，未弹而飞。人心叵测，对面九疑。欺罔逝陷，君子先知；诐遁邪淫[2]，情见乎辞。噫，可不忍欤？

【注释】

①斧钺（yuè）：泛指兵器，也指刑罚，杀戮。

②诐（bì）遁邪淫：偏颇、躲闪、邪恶、过激。

【译文】

我想你想得悲喜交集，这是象对舜所说的欺骗的话语。管池沼的人把鱼煮着吃了，却哄骗子产说，鱼已经被放生，子产相信了那人的话。秦朝丞相赵高，欺骗二世胡亥和世人指鹿为马；唐代裴延龄欺上瞒下。这些人本以为自己愚弄了他们的君主，其实只是自欺欺人。丹书上会记载他们的罪过，斧钺也会把他们诛杀。北宋人胡宿曾说从不忍心在极细微的事情上欺骗君主；鲁宗道认为欺君是极大的罪过。这两个人的话，能够作为千古明训。就算能够欺骗人，却无法欺骗天。黑暗偏僻的地方虽然人到不了，但是会有很多鬼神存在。欺骗让人心累，并且很少成功，往往以失败居多。乌雀尽管很小，但仍然很难欺骗。只要人稍微动了一下心思，弹丸还没来得及射出，它们就已经展翅飞走了。人心复杂非常难以揣测，就像是面对着九疑山，没办法辨识。欺骗、愚弄、支开、陷害，君子们早就明白，偏颇、躲闪、邪恶、过激，言语中就透出了消息。唉，难道不该隐忍吗？

淫之忍第四十

【原文】

淫乱之事，易播[1]恶声[2]。能忍难忍，谥之曰贞。路同女宿，至明不乱；邻女夜奔，执烛待旦。宫女出赐，如在帝右。西阁十宵，拱立至晓。下惠之介，鲁男之洁，日磾[③]彦回，臣子大节。百世之下，尚鉴风烈。噫，可不忍欤？

【注释】

①播：传播。

②恶声：不好的名声。

③日磾（mì dī）：金日磾，汉武帝时的匈奴休屠王太子，深受武帝喜爱。

【译文】

淫乱的事情最容易传出坏名声。可以忍受最难忍受的事情，称之为贞。柳下惠在外同女子共处一室直到天亮都没有发生淫乱的事情；邻家女子跑到颜叔子家中，他点着蜡烛直到天亮。皇帝赏赐给金日磾的宫女，他一下都不动，就像是还在皇帝身旁一般。南朝刘宋时的褚渊，相貌英俊，山阴公主想与他私通，请他来侍候自己，与公主共处一室十个晚上，他都是站立着，从晚到早始终不动心。柳下惠固然忠直可嘉，而鲁国男子也称得上是洁身自好。金日磾不近所赐之宫女，褚渊不从公主之私欲，他们都守住了作为臣子的大节。千百年后依然能够感受到他们的高风亮节。唉，难道不该隐忍吗？

惧之忍第四十一

【原文】

内省不疚[①]，何忧何惧？见理既明，委心变故。中水舟运，不谄河伯。霹雳破柱，读书自若。何潜心于《太玄》，乃惊遽而投阁？故当死生患难之际，见平生之所学。噫，可不忍欤？

【注释】

①内省不疚：问心无愧。

【译文】

只要是问心无愧，哪里还有什么可以忧愁和恐惧的呢？既然明白了这个道理，顺其自然就好了。韩褐子坐船过河，船在水中就算是遇到了危险，他也不祭拜河神。雷电把房屋的柱子都劈开了，夏侯玄依然神态自若地靠着柱子读书，神色不改。为什么扬雄曾经潜心写作了《太玄》，但是在遇到事情的时候，居然会害怕得跳楼自杀？因此，唯有在生死患难的时候，才能够看得出一个人一生当中所学到的东西。唉，难道不该隐忍吗？

好之忍第四十二

【原文】

楚好细腰，宫人饿死。吴好剑客，民多疮瘠[①]。好酒、好财、好琴、好笛、好马、好鹅、好锻[②]、好屐，凡此众好，各有一失。人惟好学，于己有益。有失不戒，有益不劝，玩物丧志，人之通患。噫，可不忍欤？

【注释】

①疮瘠（jí）：伤疤。

②锻：打铁。

【译文】

楚王喜欢腰细的女人，许多宫女为此饿死了；吴王喜欢剑客，于是老百姓身上便有了许多伤痕。喜欢喝酒，喜欢钱财，喜欢弹琴，喜欢吹笛，喜欢马，喜欢鹅，喜欢打铁，喜欢木鞋，在这众多的爱好中，每一种都有缺陷。唯有喜欢学习，才是真正对自己有益的。有过失而不警惕，有利益而不劝勉，最终玩物丧志，这是大多数人身上的毛病。唉，难道不该忍耐一下吗？

恶之忍第四十三

【原文】

凡能恶[①]人，必为仁者。恶出于私，人将仇我。孟孙恶我，乃真药石。不以为怨，而以为德。南夷之窜，李平廖立；陨星讣闻，二子涕泣。爱其人者，爱及屋上乌；憎其人者，憎其储胥②。鹰化为鸠，犹憎其眼。疾之已甚，害几不免。仲弓之吊张让，林宗之慰左原，致恶人之感德，能灭祸于他年。噫，可不忍欤？

【注释】

①恶：讨厌，憎恶。

②储胥：仆人，婢女。

【译文】

只有仁者才能讨厌人。这是因为仁者是大公无私的，如果一个人出于私心去讨厌别人，别人就会记仇。孟孙讨厌臧孙，才是真正地对他好。所以臧孙不仅没有去怨恨，并且还把他的好都记住了。诸葛亮免去了李平的官职和爵位，流放到梓潼，将廖立贬为平民，流放到汶山，但是诸葛亮死后，二人都痛哭流涕，十分悲伤。喜欢一个人，就连看到他屋子上的乌鸦都觉得好看；讨厌一个人的时候，就连他身边的人都觉得看着不舒服。就算老鹰变成了斑鸠，但是认识它的人，还是会讨厌它的眼睛。但是如果过于讨厌一个人的话，也容易引来无穷后患。陈寔吊问张让，郭泰宽慰左原，他们的善举也让恶人心怀感念，很多年后因此消灾免祸。唉，难道不该忍一忍吗？

劳之忍第四十四

【原文】

有事服劳①，弟子之职。我独贤劳，敢形辞色。《易》称劳谦，不伐终吉。颜无施劳，服膺勿失。故黾勉②从事，不敢告劳，周人之所以事君；惰农自安，不昏作劳，商盘所以训民。疾驱九折，为子赣之忠臣；负米百里，为子路之养亲。噫，可不忍欤？

【注释】

①服劳：效劳。

②黾（mǐn）勉：努力。

【译文】

孔子认为，有事的时候，做弟子的就应效劳，这是做弟子的职责。就算是只有自己一个人，非常辛劳，也不要在言语和脸色上表现出来。《易》的《谦》卦说，勤劳和谦逊的君子终究会得到好的结果。颜回说不要因为有善德而夸耀，不要因为有功劳而四处声张。要把这样的话牢记在心中，衷心信服。周朝的官员侍奉君主，都是勤劳从事，从来不敢倾诉自己的辛劳。商王盘庚训诫老百姓，懒惰的农民只求安逸，不愿意辛勤劳作，那么就会没有粮食更没有安逸。汉代的王子赣快马加鞭通过了九折坡这个险要之地，因为他是忠臣；子路从百里之外背米回家奉养父母双亲，因为他是孝子。唉，难道不该隐忍吗？

苦之忍第四十五

【原文】

浆酒藿肉①，肌丰体便②。目厌粉黛，耳溺管弦。此乐何极？是有命焉。生不得志，攻苦食淡；孤臣孽子，卧薪尝胆。贫贱患难，人情最苦。子卿北海之上牧羝③，重耳十九年之羁旅。呼吸生死，命如朝露。饭牛④至晏，褐⑤不蔽骭⑥；牛衣卧疾，泣与妻诀。天将降大任于是人，必先饿其体而乏其身。噫，可不忍欤？

【注释】

①浆酒藿（huò）肉：把酒当成水，把肉当成藜藿这样的野菜。形容饮食奢侈。

②体便（pián）：肚子肥大。

③羝（dī）：公羊。

④饭牛：放牛。

⑤襦（rú）：短上衣。

⑥骭（gàn）：小腿。

【译文】

将酒当水浆，把肉当野菜，这些人养得富态丰满，大腹便便。他们的眼睛看厌了花枝招展的美女，耳朵听腻了歌舞管弦的乐音。还能有比这更快乐的吗？不过，这些都是命里注定的。人在不得志的时候，从事着艰苦的工作，吃着粗茶淡饭。孤立无援的远臣以及贱妾所生的庶子，才能够如越王勾践那般，忍辱负重，卧薪尝胆。贫贱患难，是人生当中最为痛苦的事情。苏武在北海之上牧羊十九载，重耳在外流亡漂泊了十九年。在这十九年里，他们的生死只在一口气之间，他们的生命就如同朝露一般容易消逝。卫人宁戚穿着短布单衣，从晚上放牛一直喂到半夜，齐桓公觉得他是奇异之人，为他送来衣服和帽子，还让他做了客卿。汉代的王章生性刚烈直率，生病的时候卧床却连被子也没有，只好睡在牛衣中对着妻子流泪诀别，后来他终于发达。老天将要对一个人委以重任的时候，一定会先让他挨饿受冻，劳累受苦。唉，难道不该隐忍吗？

俭之忍第四十六

【原文】

以俭治身，则无忧；以俭治家，则无求。人生用物，各有天限，夏涝太多，至秋必旱。瓦鬲[①]进煮粥，孔子以为厚；平仲祀先人，豚肩[②]不掩豆。李公庾郎，二韭三韭。脱粟布被，非敢为诈；蒸豆菜菹，勿以为讶。食钱一万，无乃太过。噫，可不忍欤？

【注释】

①鬲（lì）：古代炊具。

②豚肩：猪腿。

【译文】

以节俭的品德来修身，就不会有忧虑；以节俭的品德来治家，就不会有奢求。人一生中所需要的物品，资源是有限的，就如同夏天雨水多，秋天就会干旱一样。鲁国有个十分节俭的人，用瓦鬲来煮食物，送给孔子吃，孔子非常珍惜地接受了。齐国贵族晏婴以节俭闻名，在祭祀先人的时候，猪腿小得盖不住盘子。北魏的李崇担任尚书令，家常只吃韭菜，其宾客笑称“李令公一食十八种”（二九一十八，九与韭谐音）。庚杲之官至清廉节俭，常吃韭菜，被人讽为三九（韭）二十七。西汉公孙弘官至丞相，却只吃刚脱壳而没有舂的粟饭，盖着布做的被子，不敢作假。唐代卢怀慎一生俭朴，设宴的时候，仅有几碗饭几盘菜，令宰相宋璟等人感到十分吃惊。晋代的何曾，每天要吃价值一万钱的东西，这简直是太过分了。唉，难道不该忍一忍吗？

贪之忍第四十七

【原文】

贪财曰饕，贪食曰餮。舜去四凶[①]，此居其一。“犹[②]如打五鼓，谢令推不去。”如此政声，实蕃众感。鱼弘作郡，号为四尽。重霸对棋，觅金三锭。陈留章武，伤腰折股。贪人败类，秽我明主。口称夷齐，心怀盗跖。产随官进，财与位积。游道闻魏人之劾，宁不有靦[③]于面目？噫，可不忍欤？

【注释】

①四凶：浑敦、穷奇、梼杌（táo wù）、饕餮（tāo tiè）。

②犹（dǎn）：击鼓声。

③靦（miǎn）：害羞，不自然。

【译文】

贪财叫饕，贪食叫餮。相传舜帝当年流放四凶，饕餮正是其中之一。“统如打五鼓，谢令推不去。”像谢令这样坏的政治声誉，只能引起百姓的愤怒。鱼弘任郡守的时候，自称有四尽，水中鱼鳖尽，山中麞鹿尽，田中米谷尽，村里民庶尽。蜀人安重霸任简州刺史，与人下棋百般刁难，只是为了索要三锭黄金。李崇、元融好财恋物，贪得无厌，最后一个扭伤了腰，一个摔断了腿。这两个贪得无厌的败类，玷污了主上英明的名声。嘴里面讲着伯夷、叔齐，心中却是另一副盗跖的心肠。官做得越大，产业置办得越多，地位升得越高，钱财积累得越丰厚。宋游道被人这样弹劾，难道他不觉得羞愧难当吗？唉，难道不该隐忍吗？

躁之忍第四十八

【原文】

养气之学，戒乎躁急。刺卵掷地，逐蝇弃笔。录诗误字，啮臂流血。觇[①]其平生，岂能容物？西门佩韦，唯以自戒。彼美刘宽，翻羹不怪。《震》[②]为决躁，《巽》[③]为躁卦。火盛东南，其性不耐。雷动风挠，如鼓炉韛[④]。大盛则衰，不耐则败。一时之躁，噬脐[⑤]之悔。噫，不可忍欤？

【注释】

①觇（chān）：察看。

②《震》：《易经·震》卦。

③《巽（xùn）》：《易经·巽》卦。

④韛（bèi）：古代皮制鼓风器。

⑤噬（shì）脐：自咬腹脐够不着。

【译文】

培养浩然之气，一定要警戒急躁的性格。晋人王述性子急，夹不住鸡蛋，便大怒，于是将蛋摔在地上，用脚去踩，用剑去刺。三国魏人王思性子也急，有一次正拿笔写字，被苍蝇干扰，于是大怒将笔扔到地上踩坏，以此来泄愤。唐人皇甫湜，一天让儿子抄诗，儿子写错了一个字，于是他生气地把手臂都咬出了血。看看这三人的一生，如何能够宽容别人呢？战国时魏人西门豹性子比较急，常常佩带皮带来警戒自己。东汉的刘宽性情平和温柔，夫人让婢女端肉汤故意泼到刘宽的衣服上，刘宽都没有生气。《震》卦在东方，为雷为火。《巽》卦在东南，为木为风。木本性躁，如果木遇到了火，再加上风雷鼓动，就像是风箱给火炉里煽风，火会越来越旺，最后将无法扑灭。事物一旦太盛，便开始衰落，无法忍受必将凋谢。一时的急躁，换来的有可能是永远的悔恨。唉，难道不该隐忍吗？

虐之忍第四十九

【原文】

不教而杀，孔谓之虐。汉唐酷吏，史书其恶。宁成乳虎，延年屠伯。终破南阳之家，不逃严母之责。悬悬用刑，不如用恩；孳孳求奸，未若礼贤。凡尔有官，师法循良。垂芳百世，召杜龚黄。噫，可不忍欤？

【译文】

孔子说，不教化老百姓，就课以严刑，相当于虐杀人。汉唐的酷吏，其恶行都被清楚地记载在史书上。西汉的宁成是关都尉，非常残暴，被老百姓称为小老虎；西汉的严延年，杀人如麻，被人叫作屠夫。他们的下场都非常惨，宁成的老家被抄散，严延年被母亲痛骂。与其勤勉地用刑，不如施洒恩泽；与其认认真真地追查奸邪，不如尊敬贤明的人。一个人如果做了大官，就应该奉公守法，慈爱百姓。西汉的召信臣为南阳太守时，躬耕农桑，视民如子，百姓都十分爱戴他。东汉的杜诗亦任南阳太守，兴利除害，百姓富足。西汉的龚遂，在宣帝时任渤海太守，以身作则，节俭办事，推广种植畜养，百姓家家有了积蓄。西汉的黄霸，宣帝时任颍川太守，教化百姓为善防奸，严宽得体。这些人都得到了百姓的爱戴，名留千古。唉，难道不该忍一忍吗？

骄之忍第五十

【原文】

金玉满堂，莫之能守。富贵而骄，自遗其咎。诸侯骄人则失其国，大夫骄人则失其家。魏侯受田子方之教，不敢以富贵而自多①。盖恶终之衅②，兆于骄夸；死亡之期，定于骄奢。先哲之言，如不听何！昔贾思伯倾身礼士，客怪其谦。答以四字，“衰至便骄”。斯言有味。噫，可不忍欤？

【注释】

①多：夸耀。

②衅（xìn）：裂缝。

【译文】

虽然金玉满堂，却没有谁能守得住。仗着富贵而骄奢，就是给自己种下祸根。诸侯对人骄傲就会失去他的封国，大夫对人骄傲就会失去他的领地。魏文侯接受了田子方对他的一番规劝教导，不敢仗着富贵而狂妄自大。一般来说，悲惨的结果常常是从骄傲夸耀开始的；死亡的结局，在开始傲慢骄奢的时候就注定了。先贤的良言忠告怎么能够不听取呢？北魏贾思伯担任过孝明帝的老师，他地位虽高，却谦恭敬贤，有人说他过于谦虚，他回答了四个字：“衰至便骄。”这确实是值得反复回味的金玉良言。唉，难道不该隐忍吗？

卷三

矜之忍第五十一

【原文】

舜之命禹，汝惟不矜①。说告高宗，戒以矜能。圣君贤相，以此相规②。人有寸善，矜则失之。问德政而对以偶然之语，问治状而答以王生之言。三帅论功，皆曰“臣何力之有焉”。为臣若此，后世称贤。文欲使屈宋衙官，字欲使羲之北面，若杜审言，名为虚诞。噫，可不忍欤？

【注释】

①矜：骄傲。

②规：劝。

【译文】

舜教导禹说，正因为你不自大自夸，所以天下没人能和你相争。傅说告诫殷商的高宗，不要自大自夸。圣明的君主和贤能的辅相都是用这样有益的话来彼此告诫的。如果一个人有了一点点善行便自我夸耀，那一点点善行就会马上丧失。东汉刘昆本事很大，皇帝问起他的异能时，刘昆回答说完全属于偶然。西汉龚遂，昭帝时做渤海太守，治郡有方，皇帝问他有什么好方法，他回答说是王生的告诫。晋国大败齐国，晋景公论功行赏，三军将士都说不是自己的能力所致，这样的臣子被后世称为贤德。唐代的杜审言说自己的文章超过屈原、宋玉，书法超过王羲之。这样夸耀自己，只会让后人觉得他空虚荒诞，无法信服。唉，难道不该隐忍吗？

侈之忍第五十二

【原文】

天赋于人，名位利禄，莫不有数。人受于天，服食器用，岂宜过度？乐极而悲来，祸来而福去。行酒斩美人，锦幛五十里，不闻百年之石氏；人乳为蒸豚，百婢捧食器，徒诧一时之武子。史传书之，非以为美，以警后人，戒此奢侈。居则歌童舞女，出则摩辖结驷①。酒池肉林，淫窟屠肆。三辰②龙章之服，不雨而霤③之第。厮养④傅翼之虎，皂隶⑤人立之豕。僭拟王侯，熏炙天地。鬼神害盈，奴辈利财。巢覆卵破，悔何及哉！噫，可不忍欤？

【注释】

①摩辖（wèi）结驷：车马拥挤，形容人很多。

②三辰：日、月、星。

③霤（liù）：房檐上接雨水用的长水槽。

④厮养：操持杂务的奴仆。

⑤皂隶：古代等级社会中地位低下的人。

【译文】

上天赋予人类的东西，比如功名利禄等，都是有一定限度的。人类从上天接受的东西，如衣服、食品、器具等，怎么能用之无度呢？如果快乐超过了极限，悲伤紧接着就会跟来；祸患一旦来临，幸福就会很快离你而去。石崇（应为王敦）让美女劝客饮酒，如果客人不饮酒，就把劝酒的美人杀掉。石崇与王恺斗富，王恺制作的紫丝布步障长达四十里，石崇就制作锦步障五十里来攀比，可是百年之后，没有听说过石崇还有什么后人。晋人王济，用人乳蒸小猪，让一百名侍女端着菜盘，但是，他的奢侈生活并没能够持续多久。史书中记载他们的这些事情，并不是为了赞美他们，而是为了警示后人，不要像他们那样骄奢淫逸。晋人贾谧在家有歌童舞女，楚王出游时成群结队。商纣以酒为池，以肉为林，朝烹暮割，就像是在市集里一样。唐朝王元宝用金银砌房子，用铜钱饰小路。还有人因为富有，穿着皇帝诸侯般华丽的服饰，住着皇帝诸侯般豪华的住宅。家中的奴仆也气焰嚣张，就像是长了翅膀的老虎，随行的侍从仗势欺人，就如同直立行走的野猪一样。他们的排场堪比王侯，气焰凌人，熏炙天地。鬼神看到人们盈满就会去迫害，去弥补不足的人。但是，一旦鸟窝掉下来，鸟蛋摔碎了，到那个时候，后悔就来不及了。唉，难道不该隐忍吗？

勇之忍第五十三

【原文】

暴虎①冯河②，圣门不许；临事而惧，夫子所与。黝③之与舍，二子养勇，不如孟子，其心不动。故君子有勇而无义为乱，小人有勇而无义为盗。圣人格言，百世诏诰。噫，可不忍欤？

【注释】

①暴虎：赤手空拳打老虎。

②冯（píng）河：徒步涉水过河。

③黝（yǒu）：指北宫黝，徒有武力。

【译文】

孔子十分反对不用武器去打老虎，不用船只而涉水过河的行为。对于遇事小心谨慎，不轻举妄动的行为，孔子十分欣赏。北宫黝的勇气在于与人拼命的时候志在必胜；孟施舍的勇气在于无所畏惧。但是他们都比不上孟子，孟子在四十岁的时候，可以做到内心不为外界所干扰。所以说，君子如果只有勇气却没有道义的话，就容易暴乱。小人只有勇气却没有道义的话，就容易沦为盗贼。孔子的教诲，真是值得百世遵守。唉，难道不该隐忍吗？

直之忍第五十四

【原文】

晋有伯宗，直言致害；虽有贤妻，不听其戒。札爱叔向，临别相劝；君子好直，思免于难。直哉史鱼，终身如矢；以尸谏君，虽死不死。夫子称之，闻者兴起。时有污隆，直道不容。曲而如钩，乃得封侯，直而如弦，死于道边。枉道事人，隳[①]名丧节；直道事人，身婴[②]木铁。噫，可不忍欤？

【注释】

①隳（huī）：毁坏。

②婴：缠绕。

【译文】

春秋时晋国大夫伯宗，为人刚正不阿，喜欢讲直话，他的妻子常常劝他不要太直言，他听不进去，最后遭人诬陷而被杀。吴国公子季札欣赏晋国大夫叔向，并告诫他，为人处世要正直，但也一定要考虑如何避免灾祸的降临。卫国大夫史鱼非常耿直，一生都行得正坐得直，临死还不忘用自己的身体去劝谏国君，这样的死，虽死犹生。孔子对他高度赞扬，听到这件事的人都觉得非常有感触。世道有好也有坏，如果总是一直坚持正直，也很难被接受。如同弯钩那般委屈随世的人，可以封侯。像弓弦那般正直的人，却枉死道边没有人过问。不正直的人会身败名裂，但是太过于正直的人，也有可能会身背枷锁。唉，难道不该隐忍吗？

急之忍第五十五

【原文】

事急之弦，制之于权[①]。伤胸扪足，倒印追贼。诳梅止渴，扶背误敌。判生死于呼吸，争胜负于顷刻。蝮蛇[2]螫手，断腕宜疾。冠而救火[3]，揖而拯溺，不知权变，可为太息。噫，可不忍欤？

【注释】

①权：变通。

②蝮蛇：毒蛇。

③冠而救火：戴好帽子再去救火。

【译文】

事情危急就像是箭在弦上，这样的情况就要懂得变通来控制局面。汉高祖刘邦与项羽的部队都驻军广武，项羽拔箭射中了刘邦的胸部，刘邦却摸着自己的脚说敌人射中了自己的脚趾头，稳定了军心。唐德宗时，朱泚反叛，节度使姚令言率领五千士兵到京城救援。士兵哗变，司农段秀实觉得事情急迫，急中生智，伪造了姚令言的兵符，召回了偷袭皇帝的敌兵。三国魏武帝曹操率部行军时找不到水源，军士都十分口渴。曹操谎称前面有一片梅树林，缓解了士兵们的口渴。西魏的宇文泰坐骑受流箭，与部队失去联系，并跌下了马背。追兵将至，部下李穆用马鞭抽打他的背，让人误以为他是个普通士兵，以此躲过了东魏的追兵。呼吸之间就能够决定生死，片刻之际就可以决出胜负，最关键的就是，要在危急情况下，可以用权变灵活的方式去应对，才可以绝处逢生。如果被蝮蛇咬了手，就应该马上砍掉手腕。先戴好帽子再去救火，行完礼后再去救落水的人，在这么紧急的情况下却不知道变通，真是让人叹息。唉，难道不该隐忍吗？

死之忍第五十六

【原文】

人谁不欲生，罔[1]之生也，幸而免。自古皆有死，死得其所，道之善。岩墙桎梏[2]，皆非正命；体受归全，易箦得正。召忽死纠，管仲不死，三衅三浴，民受其赐。陈蔡之厄，回何敢死！仲由死卫，未安于义。“百金之子不骑衡，千金之子不垂堂。”非恶死而然矣。盖亦戒夫轻生。噫，可不忍欤？

【注释】

①罔：不正直。

②桎梏：枷锁，指获罪受刑。

【译文】

哪个人不想活着？但活着就要活得正直，那些不正直的人也可以活着，但只能算是侥幸地活着。每个人都要死，但是要死得其所，这才是正道。被危墙压，被刑罚杀，都属于死于非命。我们的身体受之父母，也应该完整地归还他们，莫要随意损坏。曾子只有在更换了席子之后，在礼节方面没有违背，才能安心逝去。公子纠被杀后，召忽选择了自杀。管仲不想死，最后被齐桓公重用，成就了一番霸业，老百姓还蒙受到了他的恩泽。孔子在陈蔡被人围困，颜回后来才赶来，孔子担心他受难了，颜回说：“老师还在，弟子怎么敢先死呢？”子路在卫国当官，由于参与宫廷斗争而死在卫国，孔子认为他死得并非适宜得体。“百金之子不骑衡，千金之子不垂堂。”不仅是担心死亡的危险，也有警醒他人不要轻生的意思。唉，难道不该隐忍吗？

生之忍第五十七

【原文】

所欲有甚于生，宁舍生而取义。故陈容不愿与袁绍同日生，而愿与臧洪同日死。元显和不愿生为叛臣，而愿死为忠鬼。天下后世，称为烈士。读史至此，凛然生风。苏武生还于大汉，李陵生没于沙漠，均为之生，而不得并祀于麟阁[1]。噫，可不忍欤？

【注释】

①麟阁：麒麟阁，汉宣帝在甘露三年（公元前51）因匈奴归降，乃令人绘十一位功臣像于此阁内。

【译文】

如果想要得到的东西比生命还重要，孟子说那就宁愿舍弃生命选择义。因此，东汉陈容看到袁绍违背天意，杀害了汉室忠臣臧洪，愤怒地对袁绍说宁愿与臧洪同日而死，也不愿与袁绍同日而生。北魏元显和被抓之后，面对叛臣元法僧的劝说，他说宁愿死为忠鬼，也不愿意生为叛臣，最后被叛臣元法僧所杀。他们都被后人尊称为忠烈之士。读史读到这里，千百年之后依然能够感受到他们的凛然正气。西汉的苏武出使匈奴被扣，在北海牧羊十九年，受尽劫难最终回归大汉，而李陵变节投敌最后的下场是客死沙漠。虽然他们当初都活下来过，但是只有苏武的画像被供奉在麒麟阁上受世人敬仰。唉，难道不该隐忍吗？

满之忍第五十八

【原文】

伯益有满招损之规，仲虺[1]有志自满之戒。夫以禹、汤之盛德，犹惧满盈之害。月盈则亏，器满则覆；一盈一亏，鬼神祸福。晋刘敬宣不敢逾分，常惧福过灾生，实思避盈居损。三复斯言，守身之本。噫，可不忍欤？

【注释】

①仲虺（huī）：商汤时期的著名大臣。

【译文】

伯益赞扬大禹的时候说："满招损，谦受益。"仲虺对商汤说："志自满，九族乃离。"以大禹和商汤的高尚道德，依然会担心盈满招损。月亮圆满后就会渐渐地缺失，器具装满了就会倾覆，盈亏祸福，都由鬼神主宰着。晋人刘敬宣说，自己不敢逾分，常常担心福过灾生，这样的做法实在是因为想要避免盈满，而选择不足来远离灾祸。反反复复体会这些话，能够用来做安身立命的根本。唉，难道不该隐忍吗？

快之忍第五十九

【原文】

自古快心之事，闻之者足以戒。秦皇快心于刑法，而扶苏婴[①]矫制之害；汉武快心于征伐，而轮台有晚年之悔。人生世间，每事欲快。快驰骋者，人马俱疲；快酒色者，膏肓不医；快言语者，驷不可追；快斗讼者，家破身危；快然诺[②]者，多悔；快应对者，少思；快喜怒者，无量；快许可者，售欺。与其快性而蹈失[③]，孰若徐思[④]而慎微。噫，可不忍欤？

【注释】

①婴：通“撄”，遭受。

②然诺：允诺，答应。

③蹈失：走向失败。

④徐思：慢慢思考。

【译文】

自古以来，追求心中痛快的人很多，听到此类事情造成不良的结果后，人们都会引以为戒。秦始皇以推行刑法为快事，焚书坑儒，废除法度，结果导致太子扶苏被矫旨杀害。汉武帝以征伐为快事，穷兵黩武，到了晚年才幡然悔悟，否定了臣子屯兵轮台的建议。人生在世间，事事都想快意，但结果又是怎样呢？喜欢骑在马上驰骋的人，常常是人马俱疲；喜欢美酒和美女的人，常常容易病入膏肓；喜欢畅所欲言的人，往往言多必失；喜欢打架斗殴的人，常常落个家破身危；喜欢轻易许诺他人的人，常常是后悔不迭；喜欢轻率回答的人，往往缺乏思考；

喜欢喜怒无常变脸的人，常常缺少度量；喜欢轻易许诺别人的人，总会有欺骗之嫌。与其因一时之快而把自己陷入不好的境地，还不如慢慢思考，谨慎小心。唉，难道不该忍耐一下吗？

取之忍第六十

【原文】

取戒伤廉，有可不可。齐、薛馈金，辞受在我。胡奴之米不入修龄之甑釜[①]，袁毅之丝不充巨源之机杼。计日之俸何惭，暮夜之金必拒。幼廉不受徐乾金锭之赂，钟离不拜张恢赃物之赐。彦回却求官金饼之袖，张奂绝先零金镶之遗。千古清名，照耀金匮[②]。噫，可不忍欤？

【注释】

①甑（zèng）釜：古代的炊具。

②金匮（guì）：铜制的柜子。

【译文】

孟子说："获取他人的东西，力戒有伤廉洁，有时候能取，有时候不能取。齐国、薛国都曾馈赠金子给我，接受不接受全在于我，要根据当时的情况而定。"晋人王修龄曾住在东山，十分贫困，却拒绝收下陶胡奴送给他的米。晋人山涛也不愿意收下袁毅赠送给他的一百匹丝。东汉杨震的儿子杨秉按工作时间来接受俸禄，就不会心中有愧。而杨震更是不愿意接受晚上送来的财物。北齐李幼廉没有接受徐乾黄金百锭和二十名美女，钟离意也不收取张恢的赃物。南朝宋人褚渊拒绝接受求官人所送的黄金，东汉人张奂率兵打败了侵略的匈奴，并将先零酋长送给他的黄金和马匹全部归还。这些廉洁之士留名千古，彪炳千秋。唉，难道不该隐忍吗？

与之忍第六十一

【原文】

富视所与，达视所举。不程[①]其义之当否，而轻于赐予者，是损金帛于粪土；不择其人之贤不肖，而滥于许与者，是委[②]华衮于狐鼠。《春秋》不与卫人以繁缨，戒假人以名器。孔子周[③]公西之急，而以五秉之与责冉子。噫，可不忍欤？

【注释】

①程：衡量。

②委：抛弃舍弃。

③周：补不足。

【译文】

判断一个人行为是否妥当，并符合情理，要看他富贵时与什么样的人交往，当大官时又举荐什么人为官。如果不衡量是否合适，就把东西轻易送人，那就相当于把金帛丢入了粪坑当中。不分辨贤良与不肖，就随便赞许，那就相当于把华服给了狐鼠。《春秋》中不赞同卫国把繁缨赏赐臣子，是为了避免把爵号车服授予他人。在周济公西赤家的时候，冉求给八十石，被孔子责备给的太多。唉，难道不该隐忍吗？

乞之忍第六十二

【原文】

箪食豆羹，不得则死，乞人不屑，恶其蹴尔[①]。晚菘[②]早韭，赤米白盐，取足而已，安贫养恬。巧于钻刺，郭尖李锥，有道之士，耻而不为。古之君子，有平生不肯道一乞字者；后之君子，诈贫匿富以乞为利者矣。故陆鲁望之歌曰："人间所谓好男子，我见妇人留须眉。奴颜婢膝真乞丐，反以正直为狂痴。”噫，可不忍欤？

【注释】

①蹴（sù）尔：践踏。

②菘（sōng）：蔬菜名，品种较多。

【译文】

一筐饭，一碗汤，得不到就会被饿死，但是乞讨的人却不愿意吃，这是因为他们讨厌施舍的人踩脏了饭菜。晚菘早韭，红米白盐，够吃就好了，安于平淡，恬静的生活就很好。北魏的郭景尚和李世哲，由于擅长投机钻营，被世人讥讽为“郭尖李锥”，被正道之人所不齿。古代的君子，有的人一辈子都不愿意说出一个“乞”字，可是如今的人，装穷隐富，用以帮助自己求得利益的，不在少数。所以陆龟蒙作歌唱道：“世上哪有什么好男子，不过是些留着胡须的妇人。他们奴颜婢膝是真正的乞丐，却反过来说正直的人是狂痴。”唉，难道不该隐忍吗？

求之忍第六十三

【原文】

人有不足，于我乎求，以有济无，其心休休[①]。冯驩弹铗[②]，三求三得。苟非长者，怒盈于色。维昔孟尝，倾心爱客，比饭弗憎，焚券弗责。欲效冯驩之过求，世无孟尝则羞；欲效孟尝之不吝，世无冯驩则倦。羞彼倦此，为义不尽。偿债安得惠开，给丧谁是元振？噫，可不忍欤？

【注释】

①休休：安闲、安乐的样子。

②铗（jiá）：剑。

【译文】

别人有所不足，来向我求助，如果我能够帮助他，心中就会觉得非常快乐。孟尝君有宾客数千人，当时有个叫冯驩的，十分贫穷，听说孟尝君好客，就去见他。冯驩弹剑唱歌，三次向孟尝君提出要求，三次都得到了满足。如果不是宅心仁厚的人，对于这样的要求一定会十分恼怒。只有孟尝君能够做到真心相待门客。有人对他的饭食质疑，想要与他比较，他不憎恶，冯驩去薛地收债，看到那里的人民十分贫穷，就把债券全部烧了，孟尝君不但没有责怪还拍着手连声称谢。后人想要效仿冯驩那样，提一些看似过分的要求，但是如果没有遇到像孟尝君那样的人，就只会取辱。想要效仿孟尝君那般的慷慨大方，但是如果没有出现冯驩那样的贤才就会倦怠。求者取辱，施者倦怠，都是由于行义不够彻底。如今还有谁能够像萧惠开那样替人还债？还能有谁如同郭元振那般，并且给别人丧资？唉，难道不该隐忍吗？

失之忍第六十四

【原文】

自古达人，何心得失？子文三已[①]，下惠三黜，二子泰然，曾无愠色。银杯羽化化，米斛雀耗，二子淡然，付之一笑。盖有得有失者，物之常理；患得患失者，目之为鄙。塞翁失马，祸兮福倚。得丧荣辱，奚足介意？噫，可不忍欤？

【注释】

①已：罢免。

【译文】

自古以来，但凡豁达的人，对于个人的得失都不会放在心里。春秋时楚国的子文三次被任命为令尹之官，三次被免职；鲁国大夫柳下惠也是三次被罢官，三次出任士师，这二人对于免职，都能够泰然处之，丝毫没有怨恨的神色。唐代柳公权家里的银杯被奴仆们偷走了，奴仆们却不承认，对此柳公权笑着说银杯羽化成仙了。南朝的张率在新安时，派家童运三千石米回家，家童拿走了一半的大米，张率问其原因，家仆说是被老鼠和鸟雀偷吃了。张率笑着说好厉害的鼠雀，却没有责备家仆。柳公权和张率对失去的财物都付之一笑，不予追究。有得有失，是非常自然的道理。患得患失就会被人们看作鄙俗之行。塞翁失马，焉知非福。这样看来，得与失，荣与辱，还有什么值得好介意的呢？唉，难道不该隐忍吗？

利害之忍第六十五

【原文】

利者人之所同嗜，害者人之所同畏。利为害影，岂不知避！贪小利而忘大害，犹痼疾[①]之难治。鸩酒[②]盈器，好酒者饮之而立死，知饮酒之快意，而不知毒入肠胃；遗金有主，爱金者攫之而被系，知攫金之苟得，而不知受辱于狱吏。以羊诱虎，虎贪羊而落井；以饵投鱼，鱼贪饵而忘命。虞公耽于垂棘而昧于假道之诈，夫差豢[③]于西施而忽于为沼之祸。匕首伏于督亢，贪于地者始皇；毒刃藏于鱼腹，溺于味者吴王。噫，可不忍欤？

【注释】

①痼（gù）疾：经久难治的病。

②鸩（zhèn）酒：毒酒。

③豢（huàn）：喂养。

【译文】

人们都喜欢好处，都会畏惧躲避祸害。而利益往往是祸害的影子，为什么不知道躲避呢？贪恋小利却忘记了大害，这样的毛病就如同顽疾一样，很难治好。毒酒注满了酒杯，喜欢饮酒的人饮了立即就会死，因为他只知道喝酒的痛快感觉，却没有想过毒酒会致命。金子原本有主，可是喜欢金子的人却不管这个道理，冲上去就夺走，最后锒铛入狱。他们只知道要拿走金子，却不知道会因此被囚禁狱中并被狱卒惩罚。猎人拿着羊来引诱老虎，老虎因为贪恋美味而陷入圈套中；渔人拿着饵料去喂鱼，贪心食物的鱼儿就会忘记危险。虞公沉湎于垂棘美玉，却忽视了晋人借道的险恶用心；夫差沉湎于西施的美色，而忘记了美色之中藏着的危险。秦始皇贪恋燕国的膏腴之地，而忽略了督亢地图中藏着的匕首。吴王僚由于贪恋公子光的美食，而忘记了鱼肚子里藏着的毒剑。唉，难道不该隐忍吗？

顽嚚之忍第六十六

【原文】

心不则[①]德义之经曰顽，口不道忠信之言曰嚚。顽嚚不友，是为凶人，其名浑敦。恶物丑类，宜投四裔，以御魑魅。唐虞之时，其民淳，书此为戒；秦汉之下，其俗浇，习此不为怪。盖凶人之性，难以义制。其吠噬也，似犬而猘[②]；其抵触也，如牛而觢[③]。待之以恕则乱，论之以理则叛，示之以弱则侮，怀之以恩则玩。当以禽兽而视之，不与之斗智角力，待其自陷于刑戮，若烟灭而爝[④]息。我则行老子守柔之道，持颜子不辍之德。噫，可不忍欤？

【注释】

①则：效法。

②猘：疯狗。

③觢（shì）：两角直立的牛。

④爝（jué）：火把。

【译文】

心里不效法仁义道德的行为称为顽固，口里不说忠信的话就是奸诈。他们不行仁义，与坏人为伍，这样凶险之人，被称为浑敦。这些丑陋的东西，应该被流放到四方边远之地去，用来去抵御那些地区的妖魔鬼怪。尧舜的时候，民风淳厚，将这些记录下来是为了警诫。从秦汉以后，民风浇漓，对于这样的事情也就见怪不怪了。大抵上凶人的本性就很坏，很难用义理去感化。他们如同疯狗一般叫嚣扑咬，就像直角的公牛那般抵触别人。如果用宽恕对待他们，他们就更加作乱；如果与他们进行理论，他们就会反驳；如果向他们示弱，他们就会来欺辱你；如果用恩德来感化他们，他们会当作儿戏。所以，只能把他们看作禽兽，不能与他们比拼才智与力气，而应该等着他们违法乱纪，自取灭亡。就如同火把，火焰熄灭了，烟也就散了。我们只要遵从老子守柔的哲学，效法颜回持之以恒的美德就好了。唉，难道不该隐忍吗？

不平之忍第六十七

【原文】

不平则鸣，物之常性。达人大观，与物不竞。彼取以均石，与我以锱铢；彼自待以圣，视我以为愚。同此一类人，厚彼而薄我。我直而彼曲，屈于手高下。人所不能忍，争斗起大祸。我心常淡然，不怨亦不怒。彼强而我弱，强弱必有故；彼盛而我衰，盛衰自有数。人众者胜天，天定则胜人。世态有炎燠[1]，我心常自春。噫，可不忍欤？

【注释】

①炎燠（yù）：炎热。

【译文】

物品如果放置得不平就会发出声响，这是物性。通达事理的人，心胸豁达，不会和别人争执。你拿得很多，给我一点点，你视自己是圣人，看我觉得非常愚昧。这样有失偏颇的人，对自己非常厚，对别人则非常薄。虽然正义在我方，无理在别人那边，但最后的结果却是悬在了别人的手里。人如果不能够容忍，一旦开始了争斗，常常会造成很严重的后果。如果能够淡然无争，就会无怨无怒。别人太强而我太弱，这其中一定有原因。别人盛而我衰，这其中也一定有定数。人虽然能够一时胜天，但是等到后来，老天一定是会胜过人的。就算是世态有炎热（有寒冷），但是我的心里面常常如同春天一样和煦。唉，难道不该忍一忍吗？

不满之忍第六十八

【原文】

望仓庾①而得升斗，愿卿相而得郎官。其志不满，形于辞气。故亚夫之怏怏②，子幼之呜呜，或以下狱，或以族诛。渊明之赋归，扬雄之解嘲，排难释忿，其乐陶陶。多得少得，自有定分。一阶一级，造物所靳③。宜达而穷者，阴阳为之消长；当与而夺者，鬼神为之典掌。付得失于自然，庶神怡而心旷。噫，可不忍欤？

【注释】

①仓庾（yǔ）：储藏粮食的仓库。

②怏（yàng）怏：不高兴。

③靳（jìn）：吝惜。

【译文】

希望得到满满一粮仓的粮食，但是最后只得到了斗升的量。希望封卿入相，但是最后只成了一个小小的郎官。他们的不满情绪，就会在言行举止当中显现出来。所以西汉的周亚夫，景帝请他吃饭时他怏怏不快，后来遭人诬告，呕血而死。西汉的杨恽轻财好义，廉洁无私，被免官为民的时候，心里不痛快，呜呜不平，最后被腰斩。晋人陶渊明不为五斗米折腰，辞官回家种田，写下了《归去来辞》。西汉扬雄作《解嘲》以寄意。他们作赋解嘲都是为了排遣心中的不满，但是他们发泄的方式更为高明和隐蔽，因此他们才可以其乐陶陶。一个人得到的多或者少，都是上天注定的。每个人官位的高或者低，也是上天早已规定好了的。本来应该闻达，却穷困的，老天会安排给他增削。应该给予但是却被剥夺的，鬼神会替他调度。如果可以把得失看得非常淡然，就能够心旷神怡。唉，难道不该隐忍吗？

听谗之忍第六十九

【原文】

自古害人莫甚于谗，谓伯夷溷①，谓盗跖廉。贾谊吊湘，哀彼屈原，《离骚》《九歌》，千古悲酸。亦有周雅，《十月之交》："无罪无辜，谗口嚣嚣。"大夫伤于谗而赋《巧言》，寺人伤于谗而歌《巷伯》。父听之则孝子为逆，君听之则忠臣为贼，兄弟听之则墙阋，夫妻听之则反目，主人听之则平原之门无留客。噫，可不忍欤？

【注释】

①溷（hùn）：肮脏。

【译文】

自古以来没有什么能够比小人的谗言更害人的了，说谗言的人能够将廉洁的伯夷说成是恶心的坏蛋，将楚国大盗盗跖说成是清正廉洁的人。西汉贾谊在长沙凭吊屈原，对屈原因谗言被害的经历深表同情。觉得《离骚》《九歌》，再过很多年以后，读起来依然会让人觉得悲酸难过。《小雅·十月之交》说："无罪无辜，谗口嚣嚣。"周大夫由于受到了谗言的伤害，于是写了《巧言》用来讥讽周幽王相信谗言；宦官也是被谗言所伤害，于是写下了《巷伯》来讥讽周幽王。如果做父亲的听信谗言，就会相信自己的孝子是忤逆的；如果国君听信谗言，就会相信忠臣是反贼；如果兄弟听信谗言，就会出现不和；如果夫妻之间听信谗言，家庭就会不睦；如果主人听信谗言，平原君的家里就难以留住门客了。唉，难道不该隐忍吗？

无益之忍第七十

【原文】

不作无益害有益，不贵异物贱用物。此召公告君之言，万世而不可忽。酣游废业，奇巧废功，蒲博废财，禽荒废农。凡此无益，实贻困穷。隋珠和璧，蒟酱[①]筇竹[②]，寒不可衣，饥不可食。凡此异物，不如五谷。空走桓玄之画舸，徒贮王涯之复壁。噫，可不忍欤？

【注释】

①蒟（jǔ）酱：蒌叶。

②筇（qióng）竹：西南地区产的竹子。

【译文】

不要去做没有益处的事情来损害有益的事，不要抬高特殊的东西来压低常用的东西。这是召公告诫周武王的话，万世都不要忽视了。恣意放纵游玩，就会荒废了学业，奇巧精怪的东西会浪费人的时间，赌博游戏耗费人的钱财，沉迷于打猎会影响农事。这些无益的事情，实际上会给人们带来穷困。不管是隋侯救蛇所获的宝珠，还是卞和献于楚王的和氏璧，或是西汉唐蒙在南越见到的蒟酱，或是张骞在大夏看到的筇竹杖，这些东西虽然都很名贵，但天冷的时候不能当衣服穿，饥饿的时候也不能当食物。这样一些特殊的东西，他们的功用远远比不上五谷杂粮。晋朝桓玄自称大将军相国，收集了一船的古玩字画，却兵败身亡。唐代王涯徒劳地收藏了满屋子的图书、书法、绘画作品，最后却落得身亡被抢的下场。唉，难道不该隐忍吗？

苛察之忍第七十一

【原文】

水太清则无鱼，人太察则无徒。瑾瑜匿瑕，川泽纳污。

其政察察，其民缺缺，老子此言，可以为法。苛政不亲，烦苦伤恩，虽出鄙语，薛宣上陈。称柴而爨[1]，数米而炊，擘肌折骨，吹毛求疵，如此用之，亲戚叛之。古之君子，于有过中求无过，所以天下无怨恶；今之君子，于无过中求有过，使民手足无所措[2]。噫，可不忍欤？

【注释】

①爨：烧火做饭。

②措：放置。

【译文】

水太清了就不会有鱼，人太精明的话就不会有朋友。美玉里面也有瑕疵，大川大河也能够容纳泥污。政策越是严苛，老百姓就越隐匿。老子的话，能够作为法典。苛政让百姓越来越疏离，烦劳容易伤害人与人之间的感情，话虽然来自俗语，但是西汉的薛宣却上陈君王。称柴烧火，数米煮饭，擘肌折骨，吹毛求疵，若用这样的方法来为人处世，亲戚也会受不了的。以前的君子，在别人的过错当中发现无过，于是天下不存在怨恶的气息。如今的君子，在别人没有过错的时候查找过错，这样就会让老百姓不知道该如何摆放手脚了。唉，难道不该隐忍吗？

屠杀之忍第七十二

【原文】

物之具形色，能饮食者，均有识知[1]，其生也乐，其死也悲。鸟俯而啄，仰而四顾，一弹飞来，应手而仆。牛舐其犊，爱深母子，牵就庖厨，觳觫[2]畏死。蓬莱谢恩之雀，白玉四环；汉川报德之蛇，明珠一寸。勿谓羽鳞之微，生不知恩，死不知怨。仁人君子，折旋蚁封，彼虽至微，惜命一同。伤猿，细故也，而部伍被黜于桓温；放麑，违命也，而西巴见赏于孟孙。胡为朝割而暮烹，重口腹而轻物命？《礼》有无故不杀之戒，轲书有闻声不忍食之警。噫，可不忍欤？

【注释】

①识知：见识。

②觳觫（hú sù）：因恐惧而发抖。

【译文】

只要具有形状可以饮食的生物，就都有知觉，它们活着就很欢快，死的时候也会很悲伤。小鸟低头啄食，仰头四顾，自以为平安无事，突然一粒弹珠飞来，立刻倒地而亡。牛舐其犊，母子情深，但是如果有人将牛牵去屠宰，它们就会因害怕而浑身发抖。东汉的杨震，遇到一只受伤的黄雀，便将它救下来并帮它养伤，黄雀为了报答杨震的恩情，为他衔来四只玉环。隋侯救了一条受伤的蛇，蛇送给他一颗一寸口径的明珠以示报答。不要觉得鸟兽鱼虫都非常微小，就认为它们活着不懂得感恩，死去的时候也不知道怨恨。仁德的君子，为了不毁坏蚁穴的封土，绕道而行，这是因为虽然蚂蚁很小，但也是一种生命。军队里有人伤害了猿猴，看起来事情并不大，但是晋人桓温非常生气地将其罢免。孟孙打猎活捉了一只小鹿，赠送给了秦西巴。秦西巴于心不忍，把小鹿放生了。孟孙知道后非常生气，将秦西巴赶走了。但是一年后，他又请秦西巴回来为他的儿子当老师。为什么人早上屠宰然后晚上就烹调，把自己的口腹之欲看得比动物的生命更重要呢？《礼记》当中有无故不杀生的告诫，《孟子》中也有圣人听到动物哀怨的鸣叫就不忍心吃的警告。唉，难道不该忍一忍吗？

祸福之忍第七十三

【原文】

祸兮福倚，福兮祸伏；鸦鸣鹊噪，易警愚俗。白犊之怪，兆为盲目，征戍不及，月受官粟。荧惑守心，亦孔之丑，宋公三言，反以为寿。城雀生乌，桑谷生朝，谓祥匪祥，谓妖匪妖。故君子闻喜不喜，见怪不怪，不崇淫祀之虚费，不信巫觋[1]之狂谇[2]。信巫觋者愚，崇淫祀者败。噫，可不忍欤？

【注释】

①巫觋（xí）：指以装神弄鬼替人祈祷为职业的巫师。

②狂谇（bèi）：狂妄悖逆。

【译文】

灾祸当中包藏着福，福当中隐藏着灾祸；乌鸦和喜鹊的鸣叫，容易警诫那些愚昧庸俗的人。宋国有一家喜欢行仁义的人，他家的黑牛生下白牛犊。家人虽然因此目盲，但是为此不但躲过了朝廷的征戍，并且还可以每个月都领到官方救济的粮食。火星侵入心宿，确实是大麻烦的预兆，但是宋景公三次拒绝把灾祸转移到他人身上，于是感动了上苍，反而为自己增加了寿命。城头上的小麻雀生出了大乌鸦，桑与谷一起长在了朝堂之上，前者说是祥瑞，结果遭了殃，后者说是灾祸，结果获得吉祥。于是君子们听到了高兴的事情也不会特别开心，遇到奇怪的事情也不会特别惊讶，他们不会白白消耗钱财来祭祀祈福，也不会去相信那些巫师们狂妄悖逆的语言。如果相信巫师，就是愚蠢，过度祭祀就一定会导致失败的下场。唉，难道不该隐忍吗？

苟禄之忍第七十四

【原文】

窃位苟禄，君子所耻；相时而动，可仕则仕。墨子不会朝歌之邑，志士不饮盗泉之水。析圭儋爵，将荣其身，鸟犹择木，而况于人？逢萌挂冠于东都，陶亮解印于彭泽，权皋诈死于禄山之荐，费贻漆身于公孙之迫。携持琬琰[1]，易一羊皮。枉尺直寻，颜厚忸怩[2]。噫，可不忍欤？

【注释】

①琬琰（wǎn yǎn）：泛指美玉。

②忸怩（niǔ ní）：害羞。

【译文】

窃取高位，无功受禄，在君子看来这是一种耻辱。应该瞅准时机再行动，适合做官的时候再做官。墨子到朝歌马上掉转车头，因为讨厌它的名字；有节操的人不饮用盗泉里的水，因为厌恶它的称呼。居官受禄，为的是富贵荣华，名声显赫，鸟都懂得选择落脚的树木，人又怎么可以不慎重呢？西汉人逢萌看到王莽当政杀伐无度，便辞去官职，脱下帽子挂在城门；晋人陶渊明不愿为五斗米的俸禄而向无德无识的人弯腰屈膝，便辞任彭泽县令；唐人权皋不愿做叛臣安禄山的幕僚，用诈死的方式逃脱；西汉人费贻装疯卖傻，漆身为癞，躲过了公孙述的逼迫。放弃人生大节去追逐微末小利，就如同是拿着珍宝美玉去换别人的一张羊皮。一味地委屈自己去顺从别人，只是脸皮很厚、内心空虚罢了。唉，难道不该隐忍吗？

躁进之忍第七十五

【原文】

仕进之路，如阶有级，攀援躐等[1]，何必躁急。远大之器，退然养恬。诏或辞再，命犹待三。趋热者，以不能忍寒；媚灶者，以不能忍谗；逾墙者，以不能忍淫；穿窬[2]者，以不能忍贪。爵乃天爵，禄乃天禄；可久则久，可速则速。辇载金帛，奔走形势；食玉炊桂，因鬼见帝；虚梦南柯，于事何济！噫，可不忍欤？

【注释】

①躐等：逾越等级。

②穿窬（yú）：穿壁逾墙，指偷盗。

【译文】

做官的路，就像台阶一般，要一步一步往上走。如果互相援引，跨越台阶，那就是太急躁了。胸怀远大的人主动退居山林，是为了培养自己淡然的品格。接到任命屡次推迟，不得已才在最后接受。人们朝着温暖的地方奔走，是因为无法忍受寒冷；人们对着灶神献殷勤，是因为忌惮灶神会说自己的坏话。男女越墙约会，是因为无法忍受情欲的诱惑；穿越墙壁进行偷盗的梁上君子，是因为克制不住自己的贪欲。但是爵位与俸禄，都是上天授予的。官能一直当下去就当下去，需要离开时就离开。当年苏秦用车子载着金银布帛，到处奔波，费尽钱财，吃尽苦头，最后依然是一场空，就像是南柯一梦，奔走劳累又有什么用呢？唉，难道不该隐忍吗？

卷四

特立之忍第七十六

【原文】

特立独行，士之大节，虽无文王，犹兴豪杰。不挠不屈，不仰不俯，壁立万仞，中流砥柱。炙手权门，君恐炭于朝而冰于昏；借援公侯，吾恐喜则亲而怒则雠。傅燮不从赵延殷勤之喻，韩棱不随窦宪万岁之呼。袁淑不附于刘湛，僧虔不屈于佃夫。王昕不就移床之役，李绘不供麋角之需。穷通有时，得失有命。依人则邪，守道则正。修己而天不与者命，守道而人不知者性。宁为松柏，勿为女萝；女萝失所托而萎恭[①]，松柏傲霜雪而嵯峨[②]。噫，可不忍欤？

【注释】

①萎恭：萎靡恭顺。

②嵯（cuó）峨：高峻。

【译文】

特立独行，不流于世俗，是士人最重要的节操。真正的豪杰不管在什么时候都能够奋发向上，没必要处在周文王的理想时代。他们不屈不挠，不卑不亢，就好像是万丈绝壁一般雄伟，就如同激流中的石柱一般坚定。巴结权势的人，我担忧他们早上还有炙手可热的权力，到了晚上便会失势，变得冷若冰霜。巴结公侯的人，我担心公侯心情好的时候他们就是好朋友，公侯心情不好的时候，就会恨如仇敌。东汉的傅燮曾立下战功，可是当赵延要他向权贵献殷勤以封万户侯时，傅燮断然拒绝了；东汉韩棱任尚书令的时候，不愿意跟着别人称窦宪万岁。南朝宋的袁淑拒绝依附表兄刘湛；南朝齐的王僧虔拒不向中书舍人阮佃夫献金。北魏人王昕不愿做王爷的移床仆役；北齐人李绘拒绝了权贵崔谋问他讨要麋角翎羽的过分要求。困窘与显达，这是时机造成的；得到与失去，也自有它的规律。依附别人就容易走上邪路，恪守道德规范才能够保持正直。自我修炼但是上天却不垂顾，这是命运不济；恪守道德但是却没有人能理解，这是尽了本性。我们宁可做松柏，不要做女萝。女萝没有了依托就会萎靡不振，不如松柏，可以始终高峻挺拔，傲霜斗雪。唉，难道不该隐忍吗？

勇退之忍第七十七

【原文】

功成而身退，为天之道；知进而不知退，为《乾》之亢。验寒暑之候于火中，悟羝羊之悔于《大壮》。天人一机，进退一理；当退不退，灾害并至。祖帐东都，二疏可喜。兔死狗烹，何嗟及矣。噫，可不忍欤？

【译文】

功成名就后就抽身引退，这符合自然规律；只知道前进，却不知道退隐，就会像《乾》卦中所记的一样，盛极而衰。观察心星的位置移动而知道寒暑变化，玩味《大壮》卦中的羝羊触藩就可以体悟到它进不得退不得的悔恨。自然界与人类的变化都一样，进退盛衰的规律也都一样。应该隐退的时候却没有隐退，灾祸就会同时到来。西汉人疏广、疏受在功成名就的时候，及时选择隐退，众朋友在洛阳为他们践行，他们的选择可喜可贺。如果不隐退，一直等到兔死狗烹的时候才悔恨，就一切都晚了。唉，难道不该隐忍吗？

挫折之忍第七十八

【原文】

不受触者，怒不顾人；不受抑者，忿不顾身。一毫之挫，若挞[①]于市；发上冲冠，岂非壮士？不以害人则必自害，不如忍耐徐观胜败。名誉自屈辱中彰，德量自隐忍中大。黥布负气，拟为汉将；待以踞洗则几欲自杀，优以供帐则大喜过望。功名未见其终，当日已窥其量。噫，可不忍欤？

【注释】

①挞（tà）：用鞭子或棍等打人。

【译文】

不能忍受别人冒犯的人，在生气的时候就不会顾及他人；不能够忍受别人压制的人，愤怒的时候也不会顾及自己。别人的轻微碰触，北宫黝一点都不能接受，就好像在大庭广众之下被人鞭打了一顿；蔺相如面对秦王，怒发冲冠，难道他不是壮士吗？自己受了挫折就发怒，常常是害不到别人，反倒使自己受到伤害，不如忍耐怒气慢慢观察事情的发展变化。名誉能够从屈辱中得到张扬，德量可以从隐忍中慢慢培养光大。黥布负气，投奔刘邦，看到刘邦在洗脚的时候召见自己，气愤后悔得要自杀。等到后来住下，饮食、随从、居所都与汉王没有什么差别，又大喜过望。虽然说人们还没有看到黥布将来是否能够建功立业，但是现在大家都看到了他的气量有多大。唉，难道不该隐忍吗？

不遇之忍第七十九

【原文】

《子虚》一赋，相如遽显；阙下一书，顿荣主偃。王生布衣，教龚遂而曳组汉庭；马周白身，代常何而垂绅[①]唐殿。人生未遇，如求谷于石田；及其当遇，如取果于家园。岂非得失有命，富贵在天？卞和之三献不售，颜驷之三朝不遇。何贾谊之抑郁，竟自终于《鹏赋》？噫，可不忍欤？

【注释】

①垂绅：指在朝为臣。

【译文】

西汉的司马相如写了一篇《子虚赋》，很快便受到了汉武帝的赏识，一时间名声大振；西汉主父偃怀才不遇，于是上书汉武帝言事，汉武帝与他相见恨晚，当天便委任他为郎中。西汉的王生本是布衣，宣帝时是渤海太守龚遂的幕僚，因指点龚遂应对皇帝的询问，受到皇帝的赏识，被任为水衡丞；唐代的马周本来是个家客，因代常何起草文件，提出二十多条建议，受到了唐太宗的青睐，被任命为监察御史。一个人在机遇没有来临的时候，就如同是在石头上收获谷物，怎么可能得到呢？而等到运气降临身边，就如同是在自家菜园里摘果实，随取随得。这难道不是人们常说的“得失有命，富贵在天”吗？楚人卞和屡次献上美玉，都没有献出去；西汉颜驷历经了三代皇帝都没能被重用。西汉贾谊被贬长沙，郁郁寡欢，作《鹏赋》以为绝笔。唉，难道不该隐忍吗？

才技之第八十

【原文】

露才扬己，器卑识乏。盆括有才，终以见杀。学有余者，虽盈若亏；内不足者，急于人知。不扣不鸣者，黄钟大吕；嚣嚣聒耳者，陶盆瓦釜。韫①藏待价者，千金不售；叫炫市巷者，一钱可贸。大辩若讷，大巧若拙。辽豕贻羞，黔驴易蹶②。噫，可不忍欤？

【注释】

①韫（yùn）：收藏。

②蹶（jué）：跌倒，失败。

【译文】

过分显露自己的才华来宣扬自己，显得器量不大，见识浅薄。盆成括正是由于自己有点小聪明而无君子的大智慧，恃才而非为，所以最后才酿成了杀身之祸。真正学富五车、知识渊博的人，就算他们满腹经纶，也会谦虚地装出学问不高的样子；而很多学问一般的人，却总喜欢自吹自擂，唯恐别人不知道他的才华。天下最有内涵的人就如同黄钟大吕一样，不撞击是不发出声响的；那些没有学问和学问不多的人就如同瓦盆铁锅发出的声响一般，喧嚣嘈杂。真正有价值的美玉常常是藏而不露，待价而沽的，就算别人出千两黄金也不轻易出售；而那些沿街兜售的东西，拿着极少数的钱就能够买回家。真正有口才的人表面看起来好像不善言辞，真正聪明的人表面看起来好像愚蠢笨拙。认为辽东的白猪珍贵而进献，最后只会让自己蒙羞；毛驴刚到了贵州的时候，因为身形庞大而被看成是神物，最后却技穷见杀。唉，难道不该隐忍吗？

小节之忍第八十一

【原文】

顾大体者，不区区于小节；成大事者，不屑屑于细故①。视大圭者，不察察于微玷；得大木者，不怏怏于末蠹②。以玷弃圭，则天下无全玉，以蠹废材，则天下无全木。苟变干城之将，岂以二卵而见麾？陈平出奇之智，不以盗嫂而见疑。智伯发愤于庖亡一炙，其身之亡而弗思；邯郸子瞋目于园失一桃，其国之失而不知。争刀锥之末③而致讼者，市人之小器；委四万斤金而不问者，万乘之大志。故相马失之瘦，必不得千里之骥；取士失之贫，则不得百里奚之智。噫，可不忍欤？

【注释】

①细故：微小的问题，小毛病。

②蠹（dù）：蛀蚀。

③刀锥之末：比喻微小的利益，也比喻极小的事情。

【译文】

顾全大局的人不会计较小事；要办大事的人不会计较琐碎的细节。欣赏美玉的人不计较白玉上微小的斑点；挑选大木头的人不会因为木材梢部有一点被虫蛀而计较。由于一点小斑点而放弃美玉，那么天下就没有纯净的美玉了；由于木材有一点被虫蛀而丢掉整根木材，那么天下就没有完好的木材了。人也是这个道理，战国时苟变乃大将之才，收租时吃了百姓的两个鸡蛋，但怎能因两个鸡蛋就不用栋梁之才呢？西汉的陈平曾帮汉高祖平定内乱，汉高祖没有因为别人说陈平与嫂子私通而不重用他。智伯厨房里的人只是拿走了一块肉，他就大发雷霆，可是自己行将灭亡这样的大事他却一点都不用心。果园里丢了一颗桃子，邯郸子立刻就觉察到了，然后十分气愤，而自己的国家即将灭亡这样的大事他却毫不知情。为了一些蝇头小利而打官司的，是市井小人的气量；分派四万斤黄金而任由陈平去支配，这是刘邦的帝王气度。所以，相马因为瘦而不录，一定找不到千里马；选才因为贫穷而不用，一定会错过像百里奚那样的智者。唉，难道不该隐忍吗？

随时之忍第八十二

【原文】

为可为于可为之时则从，为不可为于不可为之时则凶。故言行之危逊，视世道之污隆[①]。老聃过西戎而夷语，夏禹入裸国而解裳。墨子谓乐器为无益而不好，往见荆王而衣锦吹笙。苟执方而不变，是不达于时宜。贸章甫于椎髻之蛮，炫绚履于跣足[2]之夷，袗絺[3]冰雪，挟纩炎曦，人以至愚而谥之。噫，可不忍欤？

【注释】

①污隆：升与降。

②跣（xiǎn）足：赤脚。

③袗絺（zhěn chī）：葛布单衣。

【译文】

在可以做的情况下做可以做的事，就会顺利；在不可以做的时候做不能做的事，就会有危险。因此一个人的言行举止，是否合时宜要看他所处的时代政治是否清明。老聃经过西夷国的时候就仿效那里的语言，夏禹到裸国的时候就把衣服脱掉。墨子是主张节俭而批评音乐的，但他去访问荆王时就穿着锦衣，吹起了笙。如果一直固执己见不懂变通，那就是不了解时宜。去从来不戴帽子的蛮族卖帽子，去流行赤脚走路的夷地卖鞋子，天寒地冻之时却披着单薄的衣服，烈日炎炎之时却穿着棉衣服，这样的行为被人们称为愚蠢。唉，难道不该隐忍吗？

背义之忍第八十三

【原文】

古之义士，虽死不避。栾布器彭，郭亮丧李。王修葬谭，操[1]嘉其义。晦送杨凭，擢为御史。此其用心，纯乎天理。后之薄俗，奔走利欲。利在友则卖友，利在国则卖国。回视古人，有何面目？赵岐之遇孙嵩，张俭之逢李笃，非亲非旧，情同骨肉，坚守大义，甘婴重戮。噫，可不忍欤？

【注释】

①操：指曹操。

【译文】

古代的义士，在坚守正义时，就算面临死亡也在所不辞。

栾布和郭亮都是这样的义士。西汉人栾布冒死祭拜彭越，郭亮是东汉时李固的弟子，对抗暴力义葬李固。东汉时曹操杀了袁谭，王修为袁谭收尸，曹操称赞他忠义。唐代的杨凭有罪被贬，亲戚朋友都不敢相送，只有徐晦仗义送别。他们行事完全是出于天理。后来风俗转薄，人们只为了自己的私利和私欲到处奔忙。如果出卖朋友有利可图就出卖朋友，出卖国家有利可图就出卖国家。回头看看古代的那些义士，这些只为了个人利欲而奔忙的人有何颜面面对天下人？东汉赵岐因反对宦官唐衡专权而被迫隐姓埋名四方逃难，后来安丘人孙嵩收留了他。东汉人张俭流亡的时候遇到了李笃，李笃冒着生命危险把张俭送到了塞外。他们彼此之间非亲非故，却可以情同骨肉，为了坚守大义，甘心面对杀戮。唉，难道不该隐忍吗？

事君之忍第八十四

【原文】

子路问事君于孔子，孔子教以勿欺而犯。唐有魏徵，汉有汲黯。长君之恶其罪小，逢君之恶其罪大。张禹有靦[1]于帝师之称，李勣何颜于废后之对？俯拾怒掷之奏劄，力救就戮之绯裈。忠不避死，主耳忘身。一心可以事百君，百心不可以事一君。若景公之有晏子，乃是为社稷之臣。噫，可不忍欤？

【注释】

①靦（miǎn）：害羞。

【译文】

子路向孔子询问如何侍奉君主，孔子说宁可直言相谏也不要有所欺瞒。这方面的典范有唐代的魏徵和汉代的汲黯。君主有过错时不劝谏反而顺从他，这还只是小罪过，如果君主的过失还没有形成，却怂恿其酿成过错，这就是大罪了。西汉的张禹就有愧于皇帝老师的称号，唐代的李勣哪里还有颜面面对自己回答高宗废黜皇后的垂问？宋代的赵普捡起皇帝震怒时丢下的奏札，继续进谏。隋朝的赵绰不害怕被杀坚持辛亶穿红裤子罪不当死。为国尽忠，就应该不害怕死亡；为君尽力，就应该不害怕牺牲。晏子说，一颗忠心能够待百君，百心如不忠则不可待一君。像景公有晏子这样的人，才算得上是勘定社稷的大臣。唉，难道不该隐忍吗？

事师之忍第八十五

【原文】

父生师教，然后成人，事师之道，同乎事亲。德公进粥林宗，三呵而不敢怒；定夫立侍伊川，雪深而不敢去。膏粱子弟，闾阎[①]小儿，或倚父兄世禄之贵，或恃家有百金之资，厉声作色，辄谩其师。弟子之傲如此，其家之败可期。故张角以走教蔡京之子，此乃忠爱而报之。噫，可不忍欤？

【注释】

①闾阎：里巷，泛指平民百姓。

【译文】

父母生养自己，老师教育自己，这样以后才能成长为有之的人，所以说侍奉老师的道理就如同侍奉父母一样。东汉的魏昭为老师郭林宗煮粥，三次都被斥责，但是他丝毫不敢恼怒。宋代游酢拜见老师程颐，程颐正在休息，他就一直站着等待，等老师醒来时外面的积雪已经很深了。官宦人家的子弟，里巷人家的小儿，有的仗着自己父辈或兄辈享受俸禄而显贵，有的自恃家中财力雄厚，就对老师疾言厉色，动辄谩骂。作为弟子对待老师如此傲慢无礼，那么他家的败亡就可以预见了。宋代张角曾是宰相蔡京的宾客和私塾教师，曾用学走路做比喻来教导蔡京的孩子，这才是真正以忠诚和爱心报答主人。唉，难道不该隐忍吗？

同寅之忍第八十六

【原文】

同官为僚，《春秋》所敬；同寅协恭，《虞书》所命。生各天涯，仕为同列，如兄如弟，议论参决。国尔忘家，公尔忘私。心无贪竞，两无猜疑。言有可否，事有是非，少不如意，矛盾相持。“幕中之辨，人以为叛；台中之评，人以为倾。”昌黎此箴，足以劝惩。噫，可不忍欤？

【译文】

官府同事称“僚”，这是《春秋》赞许的；同僚互相合作、尊敬，这是《虞书》要求的。同僚来自四面八方，同朝做官，应情同手足，一起参政议政。为国忘家，为公忘私。心里没有贪念和争夺，彼此之间就没有猜忌。话有对错，事有是非，稍微不注意就容易产生矛盾。“在官府里当众与人争辩，人们会觉得你居心不良；在衙门评说事情，人们觉得你怀着倾轧之心。”韩愈说的这些话，足以劝诫说话随便的人。唉，难道不该隐忍吗？

为士之忍第八十七

【原文】

峨冠博带而为士，当自拔于凡庸；喜怒笑嚬[①]之易动，人已窥其浅中。故临大节而不可夺者，必无偏躁之气；见小利而易售者，失之斗筲[②]之器。礼义以养其量，学问以充其智。不戚戚于贪贱，不汲汲于富贵。庶可以立天下之大功，成天下之大事。噫，可不忍欤？

【注释】

①嚬（pín）：笑的样子。

②筲（shāo）：竹器。

【译文】

士大夫头戴高高的帽子，佩着宽大的带子，就应该超凡脱俗。一个人如果轻易嬉笑怒骂，人们很容易就能够了解他的心胸狭窄。因此，那些在生死存亡的关头能够不失气节的人，他们身上一定不存在浮躁的毛病；见到小的利益就动摇气节，必定是器量小的人。要用礼义来培养自己的气量，用学问来提高自己的智慧。不因为贫贱而忧愁，也不热衷于富贵。这样的人就能够建立足以夸耀于天下的大功业了，他们也就能成就傲视天下的大事了。唉，难道不该隐忍吗？

为农之忍第八十八

【原文】

终岁勤动，仰事俯畜，服田力穑，不避寒燠。水旱者，造化之不常，良农不因是而辍耕；稼穑者，勤劳之所有，厥子乃不知于父母。农之家一，而食粟之家六，苟惰农不昏于作劳，则家不给，而人不足。噫，可不忍欤？

【译文】

农民全年辛勤劳作，是为了赡养自己的父母，供养自己的妻子儿女，他们努力劳作，不分四季，不避严寒酷暑。水涝和干旱是大自然气候不正常造成的，勤劳的农民不会因此而停止自己的劳作。农民辛勤劳苦地种地，他们的子孙却不能够理解自己父母收获庄稼粮食的艰辛。种庄稼的只有农民，而吃粮食的却有士、农、工、商、释、道六家。懒惰的农民如果一心追求安逸，不去辛勤劳作种地，那么就会没有收获，既无法供给家人，也无法去供养别人。唉，难道不该隐忍吗？

为工之忍第八十九

【原文】

不善于斫，血指汗颜，巧匠傍观，缩手袖间。行年七十，老而斫轮，得心应手，虽子不传。百工居肆以成其事，犹君子学以致其道。学不精则窘于才，工不精则失于巧。国有尚方之作礼，有冬官之考阶。身宠而家温，贵技高而心小。噫，可不忍欤？

【译文】

不擅长砍木头的人，砍破了手指还弄得汗流满面，能工巧匠却在一旁袖手旁观。轮扁七十岁了，还在堂下斫车轮，他做车轮颇有心得，却无法用语言来描述自己的心得，就算是自己的儿子，也无法继承他的技艺。各行各业的工匠们住在店铺里完成他们的工作，就如同君子通过学习来获得道理一样。学习不精深就缺乏才能，手艺不熟练就缺乏技巧。国家有尚方这样的制造场所，有冬官来掌管工程制作的机构。有一些工匠深受皇帝的恩宠而得到了很高的职位，家庭有非常丰厚的给养，究其原因主要是由于他们技艺高超，并且小心谨慎。唉，难道不该隐忍吗？

为商之忍第九十

【原文】

商者贩商，又曰商量。商贩则懋迁[①]有无，商量则计较短长。用有缓急，价有低昂。不为折阅不市者，荀子谓之良贾；不与人争买卖之价者，《国策》谓之良商。何必鬻良而杂苦，效鲁人之晨饮其羊？古之善为货殖者，取人之所舍，缓人之所急，雍容待时，赢利十倍。陶朱氏积金，贩脂卖脯之鼎食，是皆大耐于计筹，不规小利于旦夕。噫，可不忍欤？

【注释】

①懋（mào）迁：贸易。

【译文】

商人贩卖商品，又叫商量。商人买卖货物互通有无，商量则是讨论价格计较多少。物品的使用有着急和不着急的情况，物品的价格也有高有低。不因为商品价格低就不做生意，荀子称之为良贾；不和顾客讨价还价，《战国策》称之为良商。为什么非要在优质品中掺进劣质品来以次充好？为什么要效仿鲁国的羊贩子沈犹氏让羊在早晨喝足水再牵到市场上卖，增加羊的重量来骗人？古代善于经商的人，买来人家不急需的东西，卖掉人家着急要的东西，从容地等待好的时机，就一定会挣大钱。陶朱公靠经商积累了巨额的财富，有人通过贩卖膏脂成为富商，有人凭着卖脯成了鼎食之家，他们的成功都是耐心筹划经营所得，而不是因为斤斤计较眼前的蝇头小利。唉，难道不该隐忍吗？

父子之忍第九十一

【原文】

父子之性，出于秉彝①。孟子有言，责善则离，贼恩之大，莫甚相夷。焚廪掩井，瞽太不慈。大孝如舜，齐慄夔夔②。尹信后妻，欲杀伯奇，有口不辨，甘逐放之。散米数百斛而空其船，施财数千万而罄其库，以郗超、全琮不禀之专，二父胡为不怒？我见叔世，父子为仇，证罪攘③羊，德色借耰④。父而不父，子而不子，有何面目，戴天履地？噫，可不忍欤？

【注释】

①秉彝（yí）：持执常道。

②夔（kuí）夔：惊悚害怕。

③攘：偷窃。

④耰（yōu）：古代弄碎土块、平整土地的农具。

【译文】

父慈子孝乃是人的天性。孟子曾说父亲为了求好而责备自己的子女，就可能让子女忘记父母之恩，没有什么比父子之间互相责备更伤感情的了。舜的父亲瞽瞍受后妻挑唆，多次想谋害舜，舜上屋顶修谷仓，他就抽掉梯子，放火焚烧谷仓；舜去淘井，他就用土填井。瞽瞍的所作所为简直太不仁慈了，但舜始终谦恭地孝敬自己的父亲。周代尹吉甫听信后妻的谗言，要把自己的儿子伯奇杀死，伯奇也没有辩解，任由父亲驱逐自己。三国时期的全琮，把父亲让他上集市出售的几百斛好米，无偿地散给城中做官的人；晋代郗超把自家仓库中所存的财物全部送给了亲朋故友。对这两个人自作主张的专断行为，他们的父亲为什么不发怒呢？我听说在衰乱的时代，父亲偷了羊，儿子就去告发；还听说贫穷人家的子弟分家以后，将自己的农具借给父亲，还觉得自己有恩于父亲。如果做父亲的不像做父亲的样子，做儿子的不像做儿子的样子，那么他们有什么脸面存在于这天地之间呢！唉，难道不该隐忍吗？

兄弟之忍第九十二

【原文】

兄友弟恭，人之大伦，虽有小忿，不废懿亲[①]。舜之待象，心无宿怨；庄段弗协，用心交战。许武割产，为弟成名；薛包分财，荒败自营。阿奴火攻，伯仁笑受；酗酒杀牛，兄不听嫂。世降俗薄，交相为恶，不念同乳，阋墙难作。噫，可不忍欤？

【注释】

①懿亲：至亲。

【译文】

哥哥对弟弟友爱，弟弟对哥哥谦恭，这是人间最大的伦理道德。就算是兄弟之间有一些小小的摩擦，但依然有手足情分。舜的弟弟象曾多少次想谋害他，但舜是仁义之人，对待兄弟只有亲爱，心里丝毫没有怨恨；郑庄公与共叔段是同一个母亲所生，却无法和睦相处，以致兵戎相见。东汉许武分割家产，把最好的田地、奴婢、房子都留给自己，让两个弟弟因为谦让的名声而得以推荐为孝廉，待两个弟弟成名后，他又把财产加倍还给了他们；东汉薛包在兄弟分家时，把荒地和破烂的东西留给了自己。晋代周颤性情宽厚，他弟弟阿奴用蜡烛扔他，他只是付之一笑。隋朝的牛弘学识渊博，其弟酗酒后用箭杀死了牛弘驾车用的牛，牛弘不理会妻子的几次汇报。如今世风日下，民俗浇漓，互相为恶，完全不顾及手足之情，家中争吵不断。唉，难道不该忍忍吗？

夫妇之忍第九十三

【原文】

正家之道，始于夫妇。上承祭祀，下养父母。唯夫义而妇顺，乃起家而裕厚。《诗》有仳离[1]之戒，《易》有反目之悔。鹿车共挽，桓氏不恃富而凌鲍宣；卖薪行歌，朱妇乃耻贫而弃买臣。茂弘忍于曹夫人之妒，夷甫忍于郭夫人之悍。不谓两相之贤，有此二妻之叹。噫，可不忍欤？

【注释】

①仳（pǐ）离：离别。

【译文】

治家的正道，从协调好夫妇之道开始。对上祭祀祖先，对下孝敬父母。只有丈夫仁义、妻子温顺，家道才能兴旺发达。《诗经》中有夫妻分离的告诫，《易经》中有夫妻反目的悔恨。西汉时桓少君没有因为自己家富裕而轻视丈夫鲍宣，与丈夫一起拉起了小木车；朱买臣边卖柴边唱歌，妻子朱氏嫌弃他贫穷就离他而去。东晋王茂弘忍受了妻子曹氏的忌妒，西晋王夷甫也容忍了妻子郭氏的凶悍。真没想到这样贤明的两位丞相，家里居然有如此蛮横的妻子。唉，难道不该隐忍吗？

宾主之忍第九十四

【原文】

为主为宾，无骄无谄；以礼始终，相孚肝胆。小夫量浅，挟财傲客；箪食豆羹，辄见颜色。毛遂为下客，坐于十九人之末，而不知为耻；鹏举为贱官，馆于马坊，教诸奴子而不以为愧。广阳岂识其文章，平原不拟其成事。孙丞相延宾，而开东阁；郑司农爱客，而戒留门。醉烧列舰，而无怒于羊侃；收债焚券，而无恨于田文。杨政之劝马武，赵壹之哭羊陟。居今之世，此未有闻。噫，可不忍欤？

【译文】

不管是做主人还是做客人，既不要妄自尊大，也不要曲意逢迎，应该自始至终以礼待人，互相信任，肝胆相照。气量狭窄的人，恃财仗势对客人非常傲慢，用竹筐盛饭，用木桶盛汤，足以看出他的傲慢无礼。战国时毛遂做平原君的门客三年，一直默默无闻，排在十九人之后，他并不觉得耻辱，最后说服了楚国前来救援赵国；北魏的温鹏举是广阳王的下等食客，在马坊中教书也没有感到惭愧。如果温鹏举不写《侯山祠碑文》，广阳王如何知道他是一位才子；如果不用毛遂，平原君也不可能完成拯救赵国的使命。西汉的公孙弘修建客馆，开辟了东阁以招揽人才；西汉的郑庄告诫门人，不管来客贵贱，都要挽留。张儒才在羊侃的船上做客，酒后不慎烧了许多船只，羊侃并没有责怪张儒才，反而安慰他；冯驩为孟尝君收债，却把债券烧了，孟尝君并不怨恨他。东汉杨政曾严厉责怪马武不招纳人才，东汉赵壹入室哭拜羊陟。如今，这样的宾主美谈是听不到了。唉，难道不该隐忍吗？

奴婢之忍第九十五

【原文】

人有十等，以贱事贵。耕樵为奴，织爨为婢。父母所生，皆有血气，谴督太苛，小人怨詈①。陶公善遇，以嘱其子。阳城不嗔易酒自醉之奴，文烈不谴糴米②逃奔之婢。二公之性难齐，元亮之风可继。噫，可不忍欤？

【注释】

①詈（lì）：骂。

②糴（dí）米：买米。

【译文】

人分十等，卑贱者侍奉高贵者。耕田砍柴的称为奴，织布烧饭的称为婢。奴婢一样是父母生的，都是有血气的人，如果对待他们过于苛刻，就会引起他们的怨恨和咒骂。东晋的陶潜曾经写信嘱咐儿子好好对待仆人。唐朝的阳城没有责怪把米换成酒并醉倒在路边的仆人，房文烈也没有怪罪买米出逃而数日不归的奴婢。陶潜的教养尚可以继承，但阳城和房文烈的忍耐及度量则是难以达到的。唉，难道不该隐忍吗？

交友之忍第九十六

【原文】

古交如真金百炼而后不改其色，今交如暴流盈涸①而不保朝夕。管鲍之知，穷达不移；范张之谊，生死不弃。淡全甘坏，先哲所戒；势贿谈量，易燠易凉。盖君子之交，慎终如始；小人之交，其名为市。郈子②迎谷臣之妻子至于分宅，到溉视西华之兄弟胡心不恻？指天誓不相负，反眼若不相识。噫，可不忍欤？

【注释】

①盈涸：溢出干涸。

②郈（hòu）子：郈成子，春秋时期鲁国大夫。

【译文】

古人交友就如同真金百炼一般，不改变其本色；今人交友就像暴雨后的小水沟，时间非常短促。春秋时期的管仲，少时与鲍叔牙就要好，不管贫穷或显贵都不曾改变过。东汉的范式与张劭友谊深厚，不管是生前还是死后，都没有抛弃彼此的友谊。君子之交淡如水，小人之交甘若醴，君子淡以成，小人甘以坏。这是先哲的告诫。由于势力而结交，由于谈论而结交，由于度量而结交，这样的朋友忽冷忽热，难以长久。君子交友，始终都会保持谨慎，友谊始终不会改变。而小人交朋友就如同做生意一般，生意做完了，情谊也随之结束。春秋鲁国的郈成子与卫国右宰谷臣相好，后来谷臣被杀，郈成子就把谷臣的妻子儿女接到鲁国，腾出房子让他们居住，并供养他们；南朝的到溉与御史中丞任昉关系亲密，任昉死后，他的儿子们处境凄惨，到溉看到西华兄弟们的艰难处境后，心里难道不会觉得难过吗？有的人对天发誓生死不负，可是一转眼就反目成仇如同不认识一样。唉，难道不该隐忍吗？

年少之忍第九十七

【原文】

人之少年，譬如阳春，莺花明媚，不过九旬；夏热秋凄，如环斯循。人寿几何，自轻身命？贪酒好色，博弈驰骋；狎侮[1]老成，党邪疾正；弃掷《诗》《书》，教之不听。玄鬓[2]易白，红颜早衰；老之将至，时不再来；不学无术，悔何及哉！噫，可不忍欤？

【注释】

①狎侮：轻慢，戏弄。

②玄鬓：黑色的鬓发。

【译文】

人的少年时代如春天般阳光明媚，鸟语花香，但春光易逝好景不长，不过三月便到了炎热的夏季，随之而来的就是万物凋零的秋季，然后是寒冷的冬季，四季循环往复。人的寿命有多长呢，怎么能轻视自己？沉溺酒色，赌博下棋，轻慢老人，结交坏人，与好人结怨，不读《诗》《书》，不听教诲。黑发易白，红颜易逝；眨眼间便到了暮年，时光一去不复返；若一直无知无能，到那时就算万分后悔也来不及了。唉，难道不该忍一忍吗？

将帅之忍第九十八

【原文】

阃[①]外之事，将军主之；专制轻敌，亦不敢违。卫青不斩裨将而归之天子，亚夫不出轻战而深沟高垒。军中不以为弱，公论亦称其美。延寿陈汤，兴师矫制，手斩郅支，威振万里，功赏未行，下狱几死。自古为将，贵于持重；两军对陈，戒于轻动。故司马懿忍于妇帻之遗，而犹有死诸葛之恐；孟明视忍于殽陵之败，而终致穆公之三用。噫，可不忍欤？

【注释】

①阃（kǔn）：城郭的门槛。

【译文】

军中的事情由将帅做主，但也不能独断专行，专制轻敌。西汉的卫青不曾斩一裨将，有失职的裨将也交给天子去处理；西汉的周亚夫率兵平叛时坚守不战，疲饿叛军。军中没有人觉得他们懦弱胆小，反而称赞他们精通用兵之道。西汉的甘延寿和陈汤，曾伪造皇帝命令率兵攻打郅支单于，威名震动内外，可是还没有看到封赏，就被落罪下狱差点丢了性命。自古以来当将帅的人，最可贵的是稳重；敌我双方交战，最害怕的是轻举妄动。三国时魏国大将军司马懿忍受了敌人送妇女衣服羞辱他的事情，始终坚守阵地。不久诸葛亮死后，蜀军启程回国，司马懿率兵追赶，一路仍然十分谨慎。春秋时秦国的孟明视忍受了殽陵之役兵败的耻辱，励精图治，在秦穆公的重用之下终于打败了晋军。唉，难道不该隐忍吗？

宰相之忍第九十九

【原文】

昔人有言，能鼻吸三斗醇醋，乃可以为宰相。盖任大用者存乎才，为大臣者存乎量。丙吉不罪于醉污车茵，安世不诘于郎溺殿上。周公忍召公之不悦，仁杰受师德之包容。彦博不以弹灯笼锦而衔唐介，王旦不以罪倒用印而讐寇公。廊庙倚为镇重[1]，身命可以令终。噫，可不忍欤？

【注释】

①镇重：有权威的人。

【译文】

古人说，如果谁能用鼻子吸三斗陈醋，那就可以当宰相了。大概可以担当重任的人靠的是才华，而做大臣的人靠的是器量。西汉的丙吉不责怪醉酒的车夫吐脏自己的车子。西汉的张安世没有处罚醉酒后在大殿里小便的男子。周公忍受了召公的不悦，娄师德不计较狄仁杰的指责。宋朝的文彦博造了一盏金灯笼而受到唐介的弹劾，但他并没有怀恨在心。宋朝的王旦没有因为寇准责罚自己将印盖倒而忌恨。这些都是朝廷倚重的大臣，都获得了好结局。唉，难道不该隐忍吗？

好学之忍第一百

【原文】

立身百行，以学为基。古之学者，一忍自持。凿壁偷光，聚萤作囊，忍贫读书，车胤匡衡。耕助画佣，牛衣夜织，忍苦向学，倪宽刘寔。以锥刺股者，苏秦之忍痛；系狱受经者，黄霸之忍辱。宁越忍劳于十五年之昼夜，仲淹忍饥于一盆之粟粥。及乎学成于身，而达乎天子之庭。鸣玉曳组①，为公为卿。为前圣继绝学，为斯世开太平。功名垂于竹帛，姓字著于丹青。噫，可不忍欤？

【注释】

①鸣玉曳组：任高官。

【译文】

不论将来从事哪一种职业，都要以学习为基础。古时候的读书人都要忍受一切困苦，严格要求自己。西汉的匡衡，曾经将邻居的墙壁凿穿，借着洞中透过来的光亮读书；晋朝时的车胤勤学不倦，曾用纱袋装着萤火虫，借萤火虫的光亮读书。西汉的倪宽为别人干活，趁着休息时间读书；晋朝的刘寔，靠卖牛衣维持生计，一边放牛一边读书。苏秦读书感到疲乏了，就用锥子刺大腿；黄霸被关在狱中也依然跟随夏侯胜学经。战国时的宁越只用了十五年的时光读书，终于成了周威王的老师；范仲淹为了读书，每天只吃一盆玉米粥。等到他们的学问养成了，就能够成为朝廷的大员，佩玉鸣响，绶带飘扬，做公卿之类的高官。他们继承了先贤先圣的学问，为今世的太平贡献才智。他们的功名载入史册，他们的名字刻铸于丹书。唉，难道不该忍耐吗？